ALFAGUARA

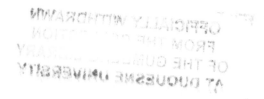

Antología

Los mejores
relatos fantásticos
de habla hispana

Selección y prólogo de Joan Estruch i Tobella

Juan Benet
Jorge Luis Borges
Julio Cortázar
Cristina Fernández Cubas
Carlos Fuentes
Gabriel García Márquez
Javier Marías
Ana María Matute
José Mª Merino
Juan José Millás
Juan Rulfo

ALFAGUARA

SERIE ROJA

ALFAGUARA

© De esta edición:
    2002, Santillana Ediciones Generales, S. L.
    1999, Grupo Santillana de Ediciones, S. A.
    Torrelaguna, 60. 28043 Madrid
    Teléfono: 91 744 90 60
© Selección, prólogo y notas introductorias: JOAN ESTRUCH I TOBELLA
© Juan Benet: «Catálisis». *Cinco narraciones y dos fábulas.* La Gaya Ciencia, 1972.
© Jorge Luis Borges: «El brujo postergado». *Historia universal de la infamia.* Ediciones Emecé, 1971.
© Julio Cortázar: «Continuidad de los parques». *Cuentos.* Biblioteca personal de J.L. Borges. Ediciones Orbis, 1986.
© Cristina Fernández Cubas: «El ángulo del horror». *Antología.* Tusquets Ediciones, 1990.
© Carlos Fuentes: «Chac Mool». *Cuerpos y ofrendas.* Alianza, 1972.
© Gabriel García Márquez. «La luz es como el agua». *Doce cuentos peregrinos.* Mondadori, 1992.
© Javier Marías: «No más amores». *Cuando fui mortal.* Alfaguara, 1996.
© Ana María Matute: «El árbol de oro». *Historias de la Artámila.* Ediciones Destino.
© José Mª Merino: «La prima Rosa». *Cuentos del reino secreto.* Alfaguara, 1982.
© Juan José Millás: «Ella acaba con ella». *Primavera de luto y otros cuentos.* Ediciones Destino, 1981.
© Juan Rulfo: «Luvina». *El llano en llamas.* Planeta.

• Aguilar, Altea, Taurus, Alfaguara, S. A. de Ediciones
  Beazley, 3860. 1437 Buenos Aires
• Editorial Santillana, S. A. de C. V.
  Avda. Universidad, 767. Col. Del Valle, México D.F. C.P. 03100
• Distribuidora y Editora Aguilar, Altea, Taurus, Alfaguara, S. A.
  Calle 80, nº 10-23. Santafé de Bogotá-Colombia

ISBN: 84-204-4934-2
Depósito legal: M-35.806-2003
Printed in Spain - Impreso en España por
Unigraf, S. L. Móstoles (Madrid)

Primera edición: septiembre de 1999
Séptima edición: agosto de 2003

Diseño de la colección: ENLACE
Cubierta: JESÚS SANZ

Editora: MARTA HIGUERAS DÍEZ

Antología

Los mejores
relatos fantásticos
de habla hispana

Prólogo

Poco a poco se han ido desvaneciendo los tópicos que recaían sobre el cuento y sobre la literatura fantástica en España. Uno y otra han ganado con creces en cuanto a presencia editorial se refiere y han recuperado el prestigio de que carecían, por ejemplo, en los años sesenta, que contrastaba con el esplendoroso desarrollo que tenía el realismo mágico en Latinoamérica. Ese contraste hoy por hoy prácticamente se ha desvanecido. El ancho mundo de habla hispana, por lo que respecta al cuento fantástico, es mucho más homogéneo gracias a que se ha producido un fructífero proceso de influencias mutuas.

Prueba de ello es esta Antología, en la que se hallan reunidos autores y cuentos de ambos lados del Atlántico, sin que ni la temática ni la técnica narrativa permitan establecer clasificaciones geográficas o culturales. Para acentuar este punto de vista integrador hemos optado por ordenar los cuentos alfabéticamente por autor.

La selección se ha hecho de acuerdo con la orientación de la colección a la que pertenece esta Antología, es decir, teniendo siempre presente el tipo de lector al que está destinado. Se han buscado relatos de extensión reducida para permitir la inclusión de un mayor número de autores, favoreciendo así la variedad de temas y estilos. Otra prioridad ha sido la temática adolescente y juvenil, que tiene una importante presencia en «El ángulo del horror», «La luz es como el agua», «El árbol de oro» y «La prima Rosa». Son cuentos en los que el mundo de los jóvenes discurre paralelamente al de los adultos, pero lleno de ocultas revelaciones o de misteriosas experiencias que a veces se convierten en rituales de iniciación en el mundo adulto.

Los enfoques de lo fantástico que aparecen en esta Antología son muy variados: el tratamiento poético en «El árbol de oro» y «La luz es como el agua»; el distanciamiento irónico en «No más amores»; el culturalismo en «Catálisis», «El brujo postergado» y «Continuidad de los parques»; el apoyo en el imaginario tradicional en «Chac Mool» y «La prima Rosa»; el protagonismo de los espacios en «Ella acaba con ella» y en «Luvina», etc.

Pero, por encima de su variedad, todos los cuentos son fieles a la definición de lo fantástico establecida por Todorov: «se mantiene una oscilación entre lo real y lo sobrenatural que luego se decanta hacia una solución racionalmente inexplicable».

En la mayoría de ellos se parte de una situación cotidiana, en la que el lector puede reconocerse. Luego viene la erosión progresiva de la realidad y la lógica convencionales.

Los finales, como en todos los cuentos, adquieren una gran importancia, y en muchos casos provocan una reinterpretación del relato entero.

Con objeto de apoyar la lectura se incluye una breve presentación de cada cuento, que no contiene, ni mucho menos, todas las posibles claves interpretativas. Por último, el apéndice con las fichas biográficas y bibliográficas de los autores seleccionados pretende dar pistas para ampliar y profundizar la lectura.

Éste es, en definitiva, el objetivo: estimular el interés por un tipo de literatura que integra la calidad estética con una lectura que nos proporciona, parafraseando a Cortázar, «el placer casi perverso de irse desgajando línea a línea de lo que nos rodea».

JOAN ESTRUCH I TOBELLA

Catálisis

Juan Benet

*Catálisis: Transformación química motivada por cuer-
pos que al finalizar la reacción aparecen inalterados.*

La emergencia de lo desconocido

Pocas veces como en este cuento el título adquiere tanta importancia para entender su tema. El autor nos proporciona otra pista en el epígrafe con la definición de catálisis tal como figura en el diccionario de la Real Academia.

La acción es mínima: el paseo cotidiano de una pareja de ancianos por los mismos lugares de siempre, emblema de su vida monótona: «Para ellos ya no había cambios ni margen alguno para la novedad». Una tormenta, provocada por un misterioso elemento catalizador, altera la realidad, transforma lo familiar en extraño. Todo es lo mismo y no es lo mismo. Al final, la reaparición de otro paseante, hasta entonces relegado a un segundo plano, acaba dando un sentido extraño e inquietante al relato.

El estilo de Benet, con sus frases largas y sus descripciones minuciosas, se adecua perfectamente a un argumento basado en la monotonía, en la reiteración de las mismas situaciones.

Septiembre había vuelto a abrir, tras una semana de abstinencia de sol, su muestrario de colores y matices que, desde las alturas, el clima había escogido para la fugaz temporada del preámbulo otoñal. Las lluvias anteriores habían servido para borrar toda muestra del verano, para cerrar el aguaducho, para llevarse los restos de meriendas campestres y dejar desierta la playa y sus alrededores —el promontorio y la carretera suspendidos en el inconcluyente calderón de su repentina soledad, como el patio de un colegio que tras un toque de silbato queda instantáneamente desprovisto de los gritos infantiles que le otorgan toda su entidad, un mar devuelto a su imposible progresión hacia las calendas griegas, apagado el bullicio con que había de intentar su falsa impresión en el presente.

«Es uno de los pocos privilegios que nos quedan.»

Fueron paseando a lo largo de la carretera, cogidos del brazo, deteniéndose en los rincones de los que habían estado ausentes durante toda la usurpación veraniega, como quienes repasan el inventario de unos bienes arrendados por una temporada. Y aun cuando no pasara un día que no celebrasen los beneficios de la paz que les era devuelta cada año al término del mes de septiembre, en su fuero interno no podían desterrar la impresión de enclaustramiento y derelicción que les embargara con la casi simultánea desaparición de la multitud que tantas incomodidades provocaba.

Un rezagado veraneante, un hombre de mediana edad que paseaba con su perro, que en un principio les había devuelto la ilusión de compañía hasta el verano de San Miguel, había de convertirse por la melancolía de su propia imagen en el mejor exponente de un abandono para el que no conocían otros paliativos que las —repetidas una y otra vez sin entusiasmo pero con la fe de la madurez, con la comedida seguridad de la persona que para su equilibrio y confianza necesita atribuir a una elección libre y voluntaria la aceptación de una solución sin alternativa posible— alabanzas a un retiro obligado por motivos de salud y economía.

Todas las tardes salían a pasear, en dirección al promontorio y el río, si estaba despejado el cielo, más allá de la playa y hacia el pueblo si amenazaba lluvia; todos los días tenían que comunicarse los pequeños cambios que advertían (todos ellos referentes al prójimo o a cuanto les rodeara) y las menudas sorpresas que aún les deparaba una existencia tan sedentaria y monótona. Porque para ellos ya no había cambios ni margen alguno para la novedad, a fuerza de haberse repetido durante años que envejecerían juntos.

A pesar de vivir en el pueblo (eran las únicas personas con estudios, como allí decían, que habitaban en él durante todo el año) desde bastante tiempo atrás no tenían otros conocidos que los obligados por su subsistencia y solamente de tarde en tarde un pequeño propietario y su señora pasaban a hacerles visita y tomar una merienda en su casa. Tan sólo recibían los periódicos y semanarios de la ciudad y las cartas del banco y no se sabía, desde que asentaron allí, que se hubieran ausentado del pueblo un solo día, a pesar de las incomodidades que provocaban los veraneantes. No eran huraños, no se podía decir que sus costumbres fueran muy distintas a las de la gente acomodada del lugar y se cuidaban con sumo tiento —no lo hacían ni en privado— de no expresar la añoranza de la ciudad o el eterno descontento por la falta de confort o de animación del medio que habían elegido, al parecer, para el resto de su vida.

Se diría que lo habían medido y calibrado todo con la más rigurosa escrupulosidad; que, a la vista de su edad, de sus achaques, de sus rentas y gustos, habían ido a elegir aquel retiro para consumir gota a gota —sin un derroche ni un exceso ni un gesto de impaciencia ni una costosa recaída en el entusiasmo— unos recursos que habían de durar exactamente hasta el día de su muerte; por eso se tenían que pasar de todo dispensable capricho y de la más inocente tentación, no podían sentir curiosidad hacia forasteros y veraneantes ni se podían permitir un brote de envidia, siempre reprimido, o un gesto de asombro ante cualquier emergencia de lo desconocido que permitiese la irrupción en la escena montada para el último acto de la comedia de esos decorados y agentes secretos que todo tiempo esconde a fin de otorgarse de tanto en tanto la posibilidad de un argumento. Empero, todos los días debían de esperar algo imprevisto, que ni siquiera se confesaban uno a otro. Porque la negativa a aceptarlo, la conformidad con la rutina y la disciplina para abortar todos los brotes de una quimérica e infundada esperanza eran —más que el pueblo tan sólo animado durante dos meses, aparte de los preparativos para el verano y los coletazos de los rezagados— lo que constituía la esencia de su retiro.

Decidieron llegarse hasta el cruce a nivel, un paseo algo más largo que lo usual. Al toparse con él debieron de pensar que la situación del hombre del perro no debía de ser muy distinta a la suya. «Fíjate, han talado los árboles que había allí, ¿te acuerdas?» o «Vete a saber lo que van a construir aquí, una casa de pisos» o «Me ha dicho la panadera que cierran el negocio; van a poner en su lugar una tienda de recuerdos y chucherías y cremas para el sol», constituían el repertorio de frases usuales con que ambos seguían día a día el curso de unas transformaciones que nada tenían que ver con ellos, que tanto contrastaban con aquella tan monástica austeridad que hasta la eliminación de una camisa o un trapo viejo llegaba a suponer un cierto quebranto al duro voto de duración que tan firme como resueltamente habían profesado para poder subsistir.

La lluvia y la desaparición de los veraneantes hicieron el resto en aquel momento; esto es, una nueva acción de gracias por las bondades de su retiro, por el encanto de una naturaleza que volvía con todas sus prendas a enseñorearse del lugar, tras dos meses de humillante servidumbre a los requerimientos de la moda estival.

«Fíjate cómo huele aquí; qué delicia. Cuatro gotas y cómo se ha puesto todo esto.»

Una acción de gracias con renovada fe, con tan sincera convicción que apenas dieron importancia al nuevo encuentro con el rezagado veraneante del perro, un hombre de medio luto, con quien se habían cruzado poco antes en el mismo sentido y que, por consiguiente, hubo de hacer el mismo camino que ellos, con mayor rapidez y tomando un itinerario paralelo.

Se detuvieron a escuchar el canto de unos estorninos que, en un frondoso seto de plátanos, también se preparaban para el viaje. Se asomaron a contemplar el mar en la revuelta de la carretera sobre el promontorio, olas grandes y distanciadas que rompían a sus pies con una reverencia de reconocimiento y vasallaje a todos los que —como ellos— se habían elevado por encima de las contingencias diarias para sacrificarse en lo último, atentos tan sólo a lo inmutable. Pocas veces se habían alejado tanto por la tarde; era uno de esos días que rebosaban seguridad y firmeza, tan necesarias para los seis meses de frío. Con frecuencia habían comentado cómo aquellos paseos fortalecían su espíritu.

«Nos acercaremos hasta la venta. Todavía oscurece tarde y tenemos tiempo de sobra. Hace una tarde magnífica.»

La venta distaba todavía casi un kilómetro. En los últimos tiempos sólo habían llegado hasta allí, a sentarse bajo el alpendre a tomar una cerveza o un refresco, cuando alguien del pueblo les había acercado en el coche.

Ya habían descendido la cuesta del promontorio, enfilando la recta al término de la cual se hallaba la venta —tras una revuelta, escondida entre una masa de árboles— cuando ella se detuvo súbitamente, para escuchar algo que no llegó por entero a sus oídos. «¿Qué ha sido eso?», preguntó mirando hacia el cielo, «¿no has oído nada?, ¿no has sentido algo raro?»

Fue como un relámpago diurno que, sin acompañamiento del trueno, al ser apenas vislumbrado por el rabillo del ojo necesita de una confirmación para despejar la inquietante sensación que deja el visto y no visto. «No sé... por allí, o tal vez por allí, ¿no has visto nada?»

«Allá lejos debe de haber tormenta. Está el tiempo muy movido. No sé si será mejor que volvamos.»

«Vamos a acercarnos hasta la venta.»

Siguieron caminando, con frecuentes miradas hacia el cielo, cambiando entre ellos esas frases tranquilizadoras que todo ánimo optimista espera que alcancen y persuadan a los elementos para que refrenen sus impulsos tormentáceos.

Llegaron a la curva cuando todavía quedaba un par de horas de luz. Impaciente por localizar su objetivo estiraba el cuello o salía de la calzada para apaciguar la inquietud que se había apoderado de sus pasos. Y de nuevo ella se detuvo de repente, con los pies juntos y la boca abierta, completamente inmovilizada, con la mirada fija en el frente.

«¿Qué te pasa?»

Sacudió su brazo, tomó su mano y la apretó con fuerza, una mano inerte a través de la cual sintió que pasaba a su cuerpo todo el flujo de su espanto, casi reducida a la nada en el momento en que, todo el campo sumido en el repentino silencio que preludia a la tormenta, cuando se siente que se han agazapado hasta los seres invisibles, en otro punto muy distinto pero también a sus espaldas, percibió —no vio— el relámpago, el desgarrón conjunto y contradictorio de un cielo y un mar que tras el espejismo mudaran hacia un continente más falso y grave, como el niño que con su cuerpo trata de ocultar el desperfecto que ha causado; en un momento envejecidos y deteriorados por una película de vicioso óxido.

Se había vuelto para observar al paseante del perro —inverosímilmente lejano, aun cuando terminaba de cruzarse con ellos, en el mismo momento del trance— cuando despertó.

«¿Y la venta? ¿Dónde está la venta?», preguntó.

Fue aquella insistente pregunta lo que colmó su desorientación. Se adelantó unos pasos, dejándola sola en la carretera, se encaramó a un pequeño montículo para otear en todas direcciones y volvió aún más confundido.

«Me parece que la hemos pasado.»

«Es a la vuelta de aquella curva.»

«No sé en qué íbamos pensando. Vamos a volver de todas maneras.»

Pero ella le miró de manera singular; carecía de expresión, pero la incredulidad se había adueñado de tal manera de todo su cuerpo que no pudo reprimir un gesto de disgusto.

«Vamos», le dijo, tratando de volverla en dirección opuesta a la que habían traído. Pero ella se mantuvo rígida, con la mirada puesta en el frente.

«Es inútil», contestó.

«¿Qué es lo que es inútil? Vamos, se va a hacer tarde. Es hora de que volvamos.»

«Es inútil», repitió.

«Pero, ¿qué es lo que es inútil?»

«Todo. Todo ha cambiado. Fíjate cómo ha cambiado todo. Dame la mano. Fíjate.»

Obedeció y se produjo de nuevo el relámpago, acaso a consecuencia de la descarga que sufrió a través de su mano. Todo había mudado, en efecto: tras el deslumbramiento provocado por el rayo, todo en su derredor —sin producirse el menos perceptible cambio— era irreconocible, de igual manera que la fotografía de un paisaje familiar, cuando ha sido revelada al revés, no resulta fácil de identificar porque no esconde ningún engaño.

Dieron unos vacilantes e ingrávidos pasos, en la misma dirección que habían traído; luego pronunció unas palabras inconexas.

«La venta... el fondo, más al fondo.»

«Eso es, más al fondo.»

Quedaron inmovilizados, cogidos de la mano y mirando al frente de la carretera boquiabiertos, sin mover un músculo ni hacer el menor signo cuando el hombre que paseaba con su perro se cruzó de nuevo con ellos, sin reparar en la inusitada imagen que componían.

Tampoco el perro se volvió a mirarles, marchando apresuradamente, con la cadena tirante.

En cuanto a ellos... los últimos vestigios de su percepción no les sirvieron para advertir que además del perro se ayudaba de un bastón, siempre adelantado y casi inmóvil sobre sus rígidos y acelerados pasos, no giraba la cabeza y ocultaba sus ojos tras unas gafas oscuras.

El brujo postergado

Jorge Luis Borges

Recreación de un relato medieval

Este cuento podría pasar perfectamente por uno de los originales de Borges, si él mismo no nos señalara su, por otra parte evidente, procedencia: el relato más conocido de *El conde Lucanor,* de Don Juan Manuel. Esta vez no se trata de uno de esos juegos de falsas atribuciones a que tan aficionado era el escritor argentino. Sin embargo, no puede evitar deslizar una falsa referencia a un libro árabe, en el que supuestamente se habría basado Don Juan Manuel.

Borges sigue de cerca el relato medieval, pero no se limita a traducirlo al español moderno, sino que realiza una verdadera recreación del mismo. Fijémonos tan sólo en el título, mucho más bello y preciso que el original. Azorín, en *Los valores literarios,* realizó una interesante versión de ese mismo cuento, bastante modificada. Pero Borges logra transformarlo sutilmente, sin apenas alterarlo.

Este relato puede servir para introducirnos de manera sencilla en el tema, tan borgeano, de la circularidad del tiempo. Asimismo, nos permite plantearnos la cuestión, también muy borgeana, de la originalidad literaria. Y, sobre todo, es un excelente estímulo para estudiar el estilo de Borges, un prodigio de sutilezas y matices.

En Santiago había un deán que tenía codicia de aprender el arte de la magia. Oyó decir que don Illán de Toledo la sabía más que ninguno, y fue a Toledo a buscarlo.

El día que llegó enderezó a la casa de don Illán y lo encontró leyendo en una habitación apartada. Éste lo recibió con bondad y le dijo que postergara el motivo de su visita hasta después de comer. Le señaló un alojamiento muy fresco y le dijo que lo alegraba mucho su venida. Después de comer, el deán le refirió la razón de aquella visita y le rogó que le enseñara la ciencia mágica. Don Illán le dijo que adivinaba que era deán, hombre de buena posición y buen porvenir, y que temía ser olvidado luego por él. El deán le prometió y aseguró que nunca olvidaría aquella merced y que estaría siempre a sus órdenes. Ya arreglado el asunto, explicó don Illán que las artes mágicas no se podían aprender sino en sitio apartado, y tomándolo por la mano, lo llevó a una pieza contigua, en cuyo piso había una gran argolla de fierro. Antes le dijo a la sirvienta que tuviese perdices para la cena, pero que no las pusiera a asar hasta que la mandaran. Levantaron la argolla entre los dos y descendieron por una escalera de piedra bien labrada, hasta que al deán le pareció que habían bajado tanto que el lecho del Tajo estaba sobre ellos. Al pie de la escalera había una celda y luego una biblioteca y luego una especie de gabinete con instrumentos mágicos. Revisaron los libros y en eso estaban cuando entraron dos hombres con una carta para el deán, escrita por el obispo, su tío, en la que le hacía saber que estaba muy enfermo y que, si quería encontrarlo vivo, no demorase. Al deán lo contrariaron mucho estas nuevas, lo uno por la dolencia de su tío, lo otro por tener que interrumpir los estudios. Optó por escribir una disculpa y la mandó al obispo. A los tres días llegaron unos hombres de luto con otras cartas para el deán, en las que se leía que el obispo había fallecido, que estaban eligiendo sucesor y que esperaban por la gracia de Dios que lo elegirían a él. Decían también que no se molestara en venir, puesto que parecía mucho mejor que lo eligieran en su ausencia.

A los diez días vinieron dos escuderos muy bien vestidos, que se arrojaron a sus pies y besaron sus manos y lo saludaron obispo. Cuando don Illán vio estas cosas se dirigió con mucha alegría al nuevo prelado y le dijo que agradecía al Señor que tan buenas nuevas llegaran a su casa. Luego le pidió el decanazgo vacante para uno de sus hijos. El obispo le hizo saber que había reservado el decanazgo para su propio hermano, pero que había determinado favorecerlo y que partiesen juntos para Santiago.

Fueron para Santiago los tres, donde los recibieron con honores. A los seis meses recibió el obispo mandaderos del Papa que le ofrecía el arzobispado de Tolosa, dejando en sus manos el nombramiento de sucesor. Cuando don Illán supo esto le recordó la antigua promesa y le pidió ese título para su hijo. El arzobispo le hizo saber que había reservado el obispado para su propio tío, hermano de su padre, pero que había determinado favorecerlo y que partiesen juntos para Tolosa. Don Illán no tuvo más remedio que asentir.

Fueron para Tolosa los tres, donde los recibieron con honores y misas. A los dos años recibió el arzobispo mandaderos del Papa que le ofrecía el capelo de Cardenal, dejando en sus manos el nombramiento de sucesor. Cuando don Illán supo esto, le recordó la antigua promesa y le pidió ese título para su hijo. El Cardenal le hizo saber que había reservado el arzobispado para su propio tío, hermano de su madre, pero que había determinado favorecerlo y que partiesen juntos para Roma. Don Illán no tuvo más remedio que asentir. Fueron para Roma los tres, donde los recibieron con honores y misas y procesiones. A los cuatro años murió el Papa y nuestro Cardenal fue elegido para el papado por todos los demás. Cuando don Illán supo esto, besó los pies de Su Santidad, le recordó la antigua promesa y le pidió el cardenalato para su hijo. El Papa lo amenazó con la cárcel, diciéndole que bien sabía él que no era más que un brujo y que en Toledo había sido profesor de artes mágicas. El miserable don Illán dijo que iba a volver a España y le pidió algo para comer durante el camino. El Papa no accedió. Entonces don Illán (cuyo rostro se había remozado de un modo extraño), dijo con una voz sin temblor:

—Pues tendré que comerme las perdices que para esta noche encargué.

La sirvienta se presentó y don Illán le dijo que las asara. A estas palabras, el Papa se halló en la celda subterránea en Toledo, solamente deán de Santiago y tan avergonzado de su ingratitud que no atinaba a disculparse. Don Illán dijo que bastaba con esa prueba, le negó su parte de las perdices y lo acompañó hasta la calle, donde le deseó feliz viaje y lo despidió con gran cortesía.

Continuidad de los parques

Julio Cortázar

Fusión y confusión de vida y literatura

Esta pequeña obra maestra contiene todos los ingredientes del arte narrativo de Julio Cortázar. Se parte de una situación cotidiana y poco a poco se van minando sutilmente los fundamentos del realismo convencional, hasta desembocar en un final tan sorprendente como inevitable.

El cuento permite lecturas complejas. Plantea el tema de la lectura literaria, que comporta «el placer casi perverso de irse desgajando línea a línea de lo que nos rodea». Pero en este caso la evasión de la realidad no será posible, sino que la ficción acabará devolviendo al lector a su trágica realidad. Más allá de su final fantástico, el cuento cuestiona los límites entre la lectura y la vida, entre la ficción y la realidad.

La técnica narrativa se apoya sobre todo en el hábil manejo de distintos puntos de vista: el del autor omnisciente, que preside todo el relato; el del lector protagonista y el del personaje que «se sale» de la novela.

Había empezado a leer la novela unos días antes. La abandonó por negocios urgentes, volvió a abrirla cuando regresaba en tren a la finca; se dejaba interesar lentamente por la trama, por el dibujo de los personajes. Esa tarde, después de escribir una carta a su apoderado y discutir con el mayordomo una cuestión de aparcerías, volvió al libro en la tranquilidad del estudio que miraba hacia el parque de los robles. Arrellanado en su sillón favorito, de espaldas a la puerta que lo hubiera molestado como una irritante posibilidad de intrusiones, dejó que su mano izquierda acariciara una y otra vez el terciopelo verde y se puso a leer los últimos capítulos. Su memoria retenía sin esfuerzo los nombres y las imágenes de los protagonistas; la ilusión novelesca lo ganó casi enseguida. Gozaba del placer casi perverso de irse desgajando línea a línea de lo que lo rodeaba, y sentir a la vez que su cabeza descansaba cómodamente en el terciopelo del alto respaldo, que los cigarrillos seguían al alcance de la mano, que más allá de los ventanales danzaba el aire del atardecer bajo los robles. Palabra a palabra, absorbido por la sórdida disyuntiva de los héroes, dejándose ir hacia las imágenes que se concertaban y adquirían color y movimiento, fue testigo del último encuentro en la cabaña del monte. Primero entraba la mujer, recelosa; ahora llegaba el amante, lastimada la cara por el chicotazo de una rama. Admirablemente restañaba ella la sangre con sus besos, pero él rechazaba las caricias, no había venido para repetir las ceremonias de una pasión secreta, protegida por un mundo de hojas secas y senderos furtivos. El puñal se entibiaba contra su pecho, y debajo latía la libertad agazapada. Un diálogo anhelante corría por las páginas como un arroyo de serpientes, y se sentía que todo estaba decidido desde siempre. Hasta esas caricias que enredaban el cuerpo del amante como queriendo retenerlo y disuadirlo, dibujaban abominablemente la figura de otro cuerpo que era necesario destruir. Nada había sido olvidado: coartadas, azares, posibles errores. A partir de esa hora cada instante tenía su empleo minuciosamente atribuido. El doble repaso despiadado se interrumpía apenas para que una mano acariciara una mejilla. Empezaba a anochecer.

Sin mirarse ya, atados rígidamente a la tarea que los esperaba, se separaron en la puerta de la cabaña. Ella debía seguir por la senda que iba al norte. Desde la senda opuesta él se volvió un instante para verla correr con el pelo suelto. Corrió a su vez, parapetándose en los árboles y los setos, hasta distinguir en la bruma malva del crepúsculo la alameda que llevaba a la casa. Los perros no debían ladrar, y no ladraron. El mayordomo no estaría a esa hora, y no estaba. Subió los tres peldaños del porche y entró. Desde la sangre galopando en sus oídos le llegaban las palabras de la mujer: primero una sala azul, después una galería, una escalera alfombrada. En lo alto, dos puertas. Nadie en la primera habitación, nadie en la segunda. La puerta del salón, y entonces el puñal en la mano, la luz de los ventanales, el alto respaldo de un sillón de terciopelo verde, la cabeza del hombre en el sillón leyendo una novela.

El ángulo del horror

Cristina Fernández Cubas

La revelación del lado oscuro de la realidad

En determinados momentos de la vida, en las crisis, atisbamos aspectos horribles de la realidad que hasta entonces no habíamos percibido. Entonces comprendemos que el horror está siempre ahí, al acecho, detrás de la realidad convencional, y que el horror es sinónimo de muerte.

Este cuento se sitúa justamente en uno de esos momentos decisivos de la vida: los 18 años, cuando hay que entrar de manera irreversible en el mundo de los adultos. No parece casual que el ángulo del horror sea una vivencia que los personajes adultos, el padre y la madre, no pueden experimentar.

Aunque se trata una temática terrorífica, no se muestra el terror directamente. Es una percepción subjetiva del protagonista, por lo que cabría una interpretación basada en considerar que todo es fruto de una enfermedad mental. Pero el final proporciona una inquietante veracidad al horror.

Ahora, cuando golpeaba la puerta por tercera vez, miraba por el ojo de la cerradura sin alcanzar a ver, o paseaba enfurruñada por la azotea, Julia se daba cuenta de que debía haber actuado días atrás, desde el mismo momento en que descubrió que su hermano le ocultaba un secreto, antes de que la familia tomara cartas en el asunto y estableciera un cerco de interrogatorios y amonestaciones. Porque Carlos seguía ahí. Encerrado con llave en una habitación oscura, fingiendo hallarse ligeramente indispuesto, abandonando la soledad de la buhardilla tan sólo para comer, siempre a disgusto, oculto tras unas opacas gafas de sol, refugiándose en un silencio exasperante e insólito. «Está enamorado», había dicho su madre. Pero Julia sabía que su extraña actitud nada tenía que ver con los avatares del amor o del desengaño. Por eso había decidido montar guardia en el último piso, junto a la puerta del dormitorio, escrutando a través de la cerradura el menor indicio de movimiento, aguardando a que el calor de la estación le obligara a abrir la ventana que asomaba a la azotea. Una ventana larga y estrecha por la que ella entraría de un salto, como un gato perseguido, la sombra de cualquiera de las sábanas secándose al sol, una aparición tan rápida e inesperada que Carlos, vencido por la sorpresa, no tendría más remedio que hablar, que preguntar por lo menos: «¿Quién te ha dado permiso para irrumpir de esta forma?» O bien: «¡Lárgate! ¿No ves que estoy ocupado?» Y ella vería. Vería al fin en qué consistían las misteriosas ocupaciones de su hermano, comprendería su extrema palidez y se apresuraría a ofrecerle su ayuda. Pero llevaba más de dos horas de estricta vigilancia y empezaba a sentirse ridícula y humillada. Abandonó su posición de espía junto a la puerta, salió a la azotea y volvió a contar, como tantas veces a lo largo de la tarde, el número de baldosas defectuosas y resquebrajadas, las pinzas de plástico y las de madera, los pasos exactos que la separaban de la ventana larga y estrecha. Golpeó con los nudillos el cristal y se oyó decir a sí misma con voz fatigada: «Soy Julia.» En realidad tendría que haber dicho: «Sigo siendo yo, Julia.» Pero, ¡qué podía importar ya! Esta vez, sin embargo, aguzó el oído. Le pareció percibir un lejano gemido, el chasquido de los muelles oxidados de la cama, unos pasos arrastrados, un sonido metálico, de nuevo un chasquido y un nítido e inesperado: «Entra. Está abierto.» Y Julia, en aquel instante, sintió un estremecimiento muy parecido al extraño temblor que recorrió su cuerpo días atrás, cuando comprendió, de pronto, que a su hermano le ocurría *algo*.

Hacía ya un par de semanas que Carlos había regresado de su primer viaje de estudios. El día dos de septiembre, la fecha que ella había coloreado de rojo en su calendario de su cuarto y que ahora le parecía cada vez más lejana e imposible. Lo recordaba al pie de la escalerilla del jumbo de la British Airways, agitando uno de sus brazos, y se veía a sí misma, admirada de que a los dieciocho años se pudiera crecer aún, saltando con entusiasmo en la terraza del aeropuerto, devolviéndole besos y saludos, abriéndose camino a empujones para darle la bienvenida en el vestíbulo. Carlos había regresado. Un poco más delgado, bastante más alto y ostensiblemente pálido. Pero Julia le encontró más guapo aún que a su partida y no prestó atención a los comentarios de su madre acerca de la deficiente alimentación de los ingleses o las excelencias incomparables del clima mediterráneo. Tampoco, al subir al coche, cuando su hermano se mostró encantado ante la perspectiva de disfrutar unas cuantas semanas en la casa de la playa y su padre le asaeteó a inocentes preguntas sobre las rubias jovencitas de Brighton, Julia rió las ocurrencias de la familia. Se hallaba demasiado emocionada y su cabeza bullía de planes y proyectos. Al día siguiente, cuando sus padres dejaran de preguntar y avasallar, ella y Carlos se contarían en secreto las incidencias del verano, en el tejado, como siempre, con los pies oscilantes en el extremo del alero, como cuando eran pequeños y Carlos le enseñaba a dibujar y ella le mostraba su colección de cromos. Al llegar al jardín, Marta les salió al encuentro dando saltos y Julia se admiró por segunda vez de lo mucho que había crecido su hermano. «A los dieciocho años», pensó. «¡Qué absurdo!» Pero no pronunció palabra.

Carlos se había quedado ensimismado contemplando la fachada de la casa como si la viera por vez primera. Tenía la cabeza ladeada hacia la derecha, el ceño fruncido, los labios contraídos en un extraño rictus que Julia no supo interpretar. Permaneció unos instantes inmóvil, mirando hacia el frente con ojos de hipnotizado, ajeno a los movimientos de la familia, al trajín de las maletas, a la proximidad de la propia Julia. Después, sin modificar apenas su postura, apoyó la cabeza en el hombro izquierdo, sus ojos reflejaron estupor, el extraño rictus de la boca dejó paso a una inequívoca expresión de lasitud y abatimiento, se pasó la mano por la frente y, concentrando la vista en el suelo, cruzó cabizbajo el empedrado camino del jardín.

Durante la cena el padre siguió interesándose por sus conquistas y la madre preocupándose por su mal color. Marta soltó un par de ocurrencias que Carlos acogió con una sonrisa. Parecía cansado y soñoliento. El viaje, tal vez. Besó a la familia y se retiró a dormir.

Al día siguiente Julia se levantó muy temprano, repasó la lista de lecturas que Carlos le había recomendado al partir, reunió las cuartillas en las que había anotado sus impresiones y se encaramó al tejado. Al cabo de un buen rato, cansada de esperar, saltó a la azotea. La ventana de su hermano se hallaba entornada, pero no parecía que hubiese nadie en el interior del dormitorio. Se asomó a la balaustrada y miró hacia el jardín.

Carlos estaba allí, en la misma posición que la noche anterior, contemplando la casa con una mezcla de estupor y consternación, inclinando la cabeza, primero a la derecha, luego a la izquierda, clavando la mirada en el suelo y cruzando abatido el empedrado camino que le separaba de la casa. Fue entonces cuando Julia comprendió, de pronto, que a su hermano le ocurría *algo*.

La hipótesis de un amor imposible fue cobrando fuerza en los tensos almuerzos de la casa. Una inglesa, una rubia y pálida jovencita de Brighton. La melancolía del primer amor, la tristeza de la distancia, la apatía con la que los jóvenes de su edad suelen contemplar todo lo que no haga referencia al objeto de su pasión. Pero eso fue al principio. Cuando Carlos se limitaba a mostrarse huraño y esquivo, a sobresaltarse ante cualquier pregunta, a evitar su mirada, a rechazar las caricias de la pequeña Marta. Tal vez, en aquel momento, debía haber actuado con firmeza. Pero ahora Carlos acababa de pronunciar: «Entra. Está abierto», y ella, armándose de valor, no tenía más remedio que empujar la puerta.

Al principio no acertó a percibir otra cosa que un calor sofocante y una respiración entrecortada y lastimera. Al rato, aprendió a distinguir entre las sombras: Carlos se hallaba sentado a los pies de la cama y en sus ojos parecían concentrarse los únicos destellos de luz que habían logrado atravesar su fortaleza. ¿O no eran sus ojos? Julia abrió ligeramente uno de los postigos de la ventana y suspiró aliviada. Sí, aquel muchacho abatido, oculto tras unas inexpugnables gafas de sol, con la frente salpicada de relucientes gotitas de sudor, era su hermano. Sólo que su palidez le parecía ahora demasiado alarmante, su actitud demasiado inexplicable, para que pudiera justificarlo en lo sucesivo a los ojos de la familia.

—Van a llamar a un médico —dijo.

Carlos no se inmutó. Siguió durante unos minutos con la cabeza inclinada hacia el suelo, entrechocando las rodillas, jugueteando con sus dedos como si interpretara una pieza infantil sobre el teclado de un piano inexistente.

—Quieren obligarte a comer... A que abandones de una vez esta habitación inmunda.

A Julia le pareció que su hermano se estremecía. «La habitación», pensó, «¿qué encontrará en esta habitación para permanecer aquí durante tanto tiempo?» Miró a su alrededor y se sorprendió de que no estuviera todo lo desordenada que cabía esperar. Carlos, desde la cama, respiraba con fuerza. «Va a hablar», se dijo y, sofocada por la agobiante atmósfera, empujó tímidamente uno de los postigos y entreabrió la ventana.

—Julia —oyó—. Sé que no vas a entender nada de lo que te pueda contar. Pero necesito hablar con alguien.

Un destello de orgullo iluminó sus ojos. Carlos, como en otros tiempos, iba a hacerla partícipe de sus secretos, convertirla en su más fiel aliada, pedirle una ayuda que ella se apresuraría a conceder. Ahora comprendía que había obrado rectamente al montar guardia junto a aquella habitación en sombras, actuando como una ridícula espía aficionada, soportando silencios, midiendo hasta la saciedad las dimensiones de la tórrida y solitaria azotea. Porque Carlos había dicho: «Necesito hablar con alguien...» Y ella estaba allí, junto a la ventana entreabierta, dispuesta a registrar atentamente todo cuanto él decidiera confiarle, sin atreverse a intervenir, sin importarle que le hablara en un tono bajo, de difícil comprensión, como si temiera escuchar de sus propios labios el secreto motivo de su desazón. «Todo se reduce a una cuestión de...» Julia no pudo entender la última palabra pronunciada entre dientes, a media voz, pero prefirió no interrumpir. Sacó un arrugado cigarrillo del bolsillo y se lo tendió a su hermano. Carlos, sin levantar la vista, lo rechazó.

—Todo empezó en Brighton, en un día como tantos otros —continuó—. Me eché en la cama, cerré la ventana para olvidarme de la lluvia, y me dormí. Eso fue en Brighton... ¿no te lo he dicho ya?

Julia asintió con un carraspeo.

—Soñé que había concluido los exámenes con gran éxito, que me llenaban de diplomas y medallas, que, de repente, deseaba encontrarme aquí entre vosotros y, sin pensarlo dos veces, decidía aparecer por sorpresa. Me subía entonces a un tren, un tren increíblemente largo y estrecho, y, casi sin darme cuenta, llegaba hasta aquí. «Es un sueño», me dije y, enormemente complacido, hice lo posible por no despertarme. Bajé del tren y me encaminé cantando hacia la casa. Era de madrugada y las calles estaban desiertas. De pronto me di cuenta de que me había olvidado la maleta en el compartimento, los regalos que os había comprado, los diplomas y las medallas, y que debía regresar a la estación antes de que el tren partiera de nuevo para Brighton. «Es un sueño», me repetí. «Figura que he enviado el equipaje por correo. No perdamos tiempo. Luego, a lo peor, la historia se complica.» Y me detuve ante la fachada de la casa.

Julia tuvo que hacer un esfuerzo para no intervenir. También a ella le ocurrían esas cosas y nunca les había concedido la menor importancia. Desde pequeña se supo capaz de regir algunos de sus sueños, de comprender súbitamente, en medio de la peor pesadilla, que ella, y sólo ella, era la dueña absoluta de aquella mágica sucesión de imágenes y que podía, con sólo proponérselo, eliminar a determinados personajes, invocar a otros o acelerar el ritmo de lo que ocurría. No siempre lo lograba —para ello era necesario adquirir la conciencia de la propiedad sobre el sueño— y, además, no lo consideraba especialmente divertido. Prefería dejarse embarcar por extrañas historias, como si sucedieran de verdad y ella fuera simplemente la protagonista, pero no la dueña, de aquellas imprevisibles aventuras. Una vez su hermana Marta, a pesar de sus pocos años, le contó algo similar. «Hoy he mandado en mi sueño», había dicho. Y ahora recordaba de pronto ciertas conversaciones sobre el asunto con los compañeros del instituto e, incluso, le parecía haber leído algo semejante en las memorias de una baronesa o condesa que le prestó una amiga. Encendió el arrugado cigarrillo que sostenía aún en la mano, aspiró una bocanada de humo, y sintió algo áspero y ardiente que le quemaba la garganta. Al escuchar su propia tos se dio cuenta de que en la habitación reinaba el más absoluto silencio y que debía de hacer ya un buen rato que Carlos había dejado de hablar y que ella se había entregado a estúpidas elucubraciones.

—Sigue, por favor —dijo al fin.

Carlos, después de un titubeo, prosiguió:

—Era la casa, la casa en la que estamos ahora tú y yo, la casa en la que hemos pasado todos los veranos desde que nacimos. Y, sin embargo, había algo muy extraño en ella. Algo tremendamente desagradable y angustioso que al principio no supe precisar. Porque era exactamente *esta casa*, sólo que, por un extraño don o castigo, yo la contemplaba desde un insólito ángulo de visión. Me desperté sudoroso y agitado, e intenté tranquilizarme recordando que sólo había sido un sueño.

Carlos se cubrió la cara con las manos y ahogó un gemido. A su hermana le pareció que musitaba un innecesario «hasta llegar aquí...» y revivió, con cierta decepción, la transformación a la que había asistido días atrás en la puerta del jardín. «De modo que era eso», iba a decir, «simplemente eso.» Pero tampoco esta vez pronunció palabra. Carlos se había puesto en pie.

—Es un ángulo —continuó—. Un extraño ángulo que no por el horror que me produce deja de ser
real... Y lo peor es que ya no hay remedio. Sé que no
podré librarme de él en toda la vida...

Los últimos sollozos la obligaron a desviar la
mirada en dirección a la azotea. De repente la inco-
modaba encontrarse allí, sin acertar a entender gran
cosa de lo que estaba escuchando, sintiéndose definitivamente alarmada ante el desmoronamiento de aquel
ser a quien siempre había creído fuerte, sano y envi-
diable. Quizá sus padres estuvieran en lo cierto y lo de
Carlos no se remediase con atenciones ni confidencias. Necesitaba un médico. Y su labor iba a consistir
en algo tan sencillo como abandonar cuanto antes
aquella habitación asfixiante y unirse a la preocupación del resto de la familia. «Bueno», dijo con decisión, «había prometido llevar a Marta al cine...» Pero
enseguida reparó en que su semblante desmentía su
fingida tranquilidad. Las gafas de Carlos la enfrenta-
ron por partida doble a su propio rostro. Dos cabezas
de cabello revuelto y ojos muy abiertos y asustados.
Así debía de verla él: una niña atrapada en la guarida
de un ogro, inventando excusas para salir quedamente
de la habitación, aguardando el momento de traspasar
el umbral de la puerta, respirar hondo y echar a correr
escaleras abajo. Y ahora, además, Carlos, desde el otro
lado de los oscuros cristales, parecía haberse quedado
embobado escrutándola, y ella sentía debajo de aquellas dos cabezas de cabello revuelto y ojos espantados
dos pares de piernas que empezaban a temblar, demasiado para que pudiera seguir hablando de Marta o
del cine, como si aquella tarde fuera una tarde cualquiera en que importaran Marta o la vaga promesa de
llevarla al cine. La sombra de una sábana agitada por

el viento le privó por unos instantes de la visión de su hermano. Cuando de nuevo se hizo la luz, Julia reparó en que Carlos se le había aproximado aún más. Sostenía las gafas en una mano y mostraba unos párpados hinchados y una expresión alucinada. «Es maravilloso», dijo con un hilo de voz. «A ti, Julia, a ti aún puedo mirarte.» Y de nuevo esa preferencia, esa singularidad que le otorgaba por segunda vez en la tarde, terminó con sus propósitos con inverosímil rapidez. «Está enamorado», dijo durante la cena, y comió sin apetito un plato de insípidas verduras que olvidó de salar y sazonar.

No tardó en darse cuenta de que había obrado de forma estúpida. Aquella noche y las que siguieron a la primera visita a la buhardilla. Cuando se erigió en mediadora entre su hermano y el mundo; cuando se encargó de hacer desaparecer de su alcoba los platos intocados; cuando reveló a Carlos, como la fiel aliada que había sido siempre, el diagnóstico del médico —depresión aguda— y la decisión de la familia de internarlo en una casa de reposo. Pero ya era demasiado tarde para volverse atrás. Carlos acogió la noticia de su inmediato internamiento con sorprendente dejadez. Se caló las gafas oscuras —aquellas gafas impenetrables de las que sólo en su presencia osaba desprenderse—, manifestó su deseo de abandonar la buhardilla, paseó del brazo de Julia por algunas dependencias de la casa, saludó a la familia, contestó a sus preguntas con frases tranquilizadoras. Sí, se encontraba bien, mucho mejor, lo peor había pasado ya, no tenían por qué preocuparse. Se encerró unos minutos en el baño de sus padres. Julia, a través de la puerta, oyó el *clic-clac* del armarito metálico, el chasquido de un papel, el

goteo del agua de colonia. Al salir le encontró pei-
nado y aseado, y le pareció mucho más apacible y
sereno. Le acompañó hasta su cuarto, le ayudó a echarse en la cama y bajó al comedor.

Fue algo después cuando Julia se sintió súbitamente asustada. Recordó la cerradura de la buhardilla
arrancada de cuajo por su padre hacía ya unos días, la
preocupación de su madre, el gesto significativo del
médico al declararse incompetente ante los dolores
del alma, el *clic-clac* del armarito metálico... Un ar-
mario blanco y ordenado en el que nunca se le había
ocurrido curiosear, el botiquín, el orgullo de su madre,
nadie en tan poco espacio podía haber reunido tal cantidad de remedios para afrontar cualquier situación.
Subió los escalones de dos en dos, jadeando como un
galgo, aterrorizada ante la posibilidad de nombrar lo
que no podía tener nombre. Al llegar al dormitorio
empujó la puerta, abrió los postigos y se precipitó
sobre el lecho. Carlos dormía plácidamente, desprovisto de sus inseparables gafas oscuras, olvidado de
tormentos y angustias. Ni todo el sol de la azotea que
ahora se filtraba a raudales por la ventana, ni los es-
fuerzos de Julia por despertarle, consiguieron hacerle
mover un músculo. Se sorprendió a sí misma gimien-
do, gritando, asomándose a la escalera y voceando los
nombres de la familia. Después todo sucedió con
inaudita rapidez. La respiración de Carlos fue haciéndose débil, casi imperceptible, su rostro recobró por
momentos la belleza reposada y tranquila de otros
tiempos, su boca dibujó una media sonrisa beatífica y
plácida. Ahora ya no podía negar evidencias: Carlos
dormía por primera vez desde que regresara de Brighton, aquel dos de septiembre, la fecha que ella había
coloreado de rojo en su calendario.

No tuvo tiempo para lamentarse de su estúpida actuación ni para desear con todas sus fuerzas que el tiempo girase sobre sí mismo, que todavía fuera agosto y que ella, sentada en el alero del tejado, esperase ansiosamente, junto a un montón de cuartillas, la llegada de su hermano. Pero cerró los ojos e intentó convencerse de que era aun pequeña, una niña que durante el día jugaba a las muñecas y coleccionaba cromos, y que, a veces, por las noches, sufría tremendas pesadillas. «Soy la dueña del sueño», se dijo. «Es sólo un sueño.» Pero cuando abrió los ojos no se sintió capaz de continuar con el engaño. Aquella terrible pesadilla no era un sueño ni ella poseía poder alguno para rebobinar imágenes, alterar situaciones o lograr tan siquiera que aquel rostro hermoso y apacible recuperase la angustia de la enfermedad. De nuevo la sombra de una sábana agitada por el viento se señoreó unos instantes de la habitación. Julia volvió la mirada hacia su hermano. Por primera vez en la vida comprendía lo que era la muerte. Inexplicable, inaprehensible, oculta tras una apariencia de fingido descanso. Veía a la Muerte, lo que tiene la muerte de horror y de destrucción, de putrefacción y abismo. Porque ya no era Carlos quien yacía en el lecho sino Ella, la gran ladrona, burdamente disfrazada con rasgos ajenos, riéndose a carcajadas tras aquellos párpados enrojecidos e hinchados, mostrando a todos el engaño de la vida, proclamando su oscuro reino, su caprichosa voluntad, sus inquebrantables y crueles designios. Se restregó los ojos y miró a su padre. Era su padre. Aquel hombre sentado en la cabecera de la cama era su padre. Pero había algo enormemente desagradable en sus facciones. Como si una calavera hubiese sido maquillada con chorros de cera, empolvada e iluminada con pinturas de teatro. «Un payaso», pensó, «un *clown* de la peor especie...» Se asió del brazo de su madre y una repugnancia súbita la obligó a apartarse. ¿Por qué de repente tenía la piel tan pálida, el tacto tan viscoso? Salió corriendo a la azotea y se apoyó en la balaustrada.

—El ángulo —gimió—. Dios mío... ¡he descubierto el ángulo!

Y fue entonces cuando notó que Marta estaba junto a ella, con uno de sus muñecos en los brazos y un caramelo mordisqueado entre sus dedos. Marta seguía siendo una criatura preciosa. «A ti, Marta», pensó, «a ti todavía puedo mirarte.» Y aunque la frase le golpeó el cerebro con otra voz, con otra entonación, con el recuerdo de un ser querido que no podría ya volver a ver en la vida, no fue esto lo que más la sobresaltó ni lo que le hizo echarse a tierra y golpear las baldosas con los puños. Había visto a Marta, la mirada expectante de Marta, y en el fondo de sus ojos oscuros, la súbita comprensión de que a ella, Julia, le estaba ocurriendo *algo*.

Chac Mool

Carlos Fuentes

El retorno del pasado

En América Latina, el pasado no es, como en Europa, mera arqueología o historia. La cultura indígena precolombina sigue latente, mezclada con la europea impuesta por los españoles. Y, de la cultura azteca, siempre han llamado la atención los crueles sacrificios humanos destinados a implorar la lluvia a los dioses. Éste es el tema de fondo del cuento, también presente en «La noche boca arriba», de Julio Cortázar.

Las relaciones entre un oscuro burócrata y un ídolo azteca irán convirtiéndose en relaciones de dominio. Poco a poco el sanguinario dios Chac Mool se apoderará de la voluntad del oficionista para someterlo y, finalmente, destruirlo. Pero el cuento da un giro sorprendente en el epílogo, cuando el lugar del ídolo lo asume un misterioso indio, todo un símbolo de la presencia viva del mítico pasado de América.

Hace poco tiempo, Filiberto murió ahogado en Acapulco. Sucedió en Semana Santa. Aunque había sido despedido de su empleo en la Secretaría, Filiberto no pudo resistir la tentación burocrática de ir, como todos los años, a la pensión alemana, comer el *choucrout* endulzado por los sudores de la cocina tropical, bailar el Sábado de Gloria en La Quebrada y sentirse «gente conocida» en el oscuro anonimato vespertino de la Playa de Hornos. Claro, sabíamos que en su juventud había nadado bien; pero ahora, a los cuarenta, y tan desmejorado como se le veía, ¡intentar salvar, a la medianoche, el largo trecho entre Caleta y la isla de la Roqueta! Frau Müller no permitió que se le velara, a pesar de ser un cliente tan antiguo, en la pensión; por el contrario, esa noche organizó un baile en la terracita sofocada, mientras Filiberto esperaba, muy pálido dentro de su caja, a que saliera el camión matutino de la terminal, y pasó acompañado de huacales y fardos la primera noche de su nueva vida. Cuando llegué, muy temprano, a vigilar el embarque del féretro, Filiberto estaba bajo un túmulo de cocos: el chófer dijo que lo acomodáramos rápidamente en el toldo y lo cubriéramos con lonas, para que no se espantaran los pasajeros, y a ver si no le habíamos echado la sal al viaje.

Salimos de Acapulco a la hora de la brisa tempranera. Hasta Tierra Colorada nacieron el calor y la luz. Mientras desayunaba huevos y chorizo abrí el cartapacio de Filiberto, recogido el día anterior, junto con sus otras pertenencias, en la pensión de los Müller. Doscientos pesos. Un periódico derogado de la ciudad de México. Cachos de lotería. El pasaje de ida —¿sólo de ida?—. Y el cuaderno barato, de hojas cuadriculadas y tapas de papel mármol.

Me aventuré a leerlo, a pesar de las curvas, el hedor a vómito y cierto sentimiento natural de respeto por la vida privada de mi difunto amigo. Recordaría —sí, empezaba con eso— nuestra cotidiana labor en la oficina; quizá sabría, al fin, por qué fue declinando, olvidando sus deberes, por qué dictaba oficios sin sentido, ni número, ni «Sufragio Efectivo No Reelección». Por qué, en fin, fue corrido, olvidada la pensión, sin respetar los escalafones.

«Hoy fui a arreglar lo de mi pensión. El licenciado, amabilísimo. Salí tan contento que decidí gastar cinco pesos en un café. Es el mismo al que íbamos de jóvenes y al que ahora nunca concurro, porque me recuerda que a los veinte años podía darme más lujos que a los cuarenta. Entonces todos estábamos en un mismo plano, hubiéramos rechazado con energía cualquier opinión peyorativa hacia los compañeros; de hecho, librábamos la batalla por aquellos a quienes en la casa discutían por su baja extracción o falta de elegancia. Yo sabía que muchos de ellos (quizá los más humildes) llegarían muy alto y aquí, en la Escuela, se iban a forjar las amistades duraderas en cuya compañía cursaríamos el mar bravío. No, no fue así. No hubo reglas. Muchos de los humildes se quedaron allí, muchos llegaron más arriba de lo que pudimos pronosticar en aquellas fogosas, amables tertulias. Otros, que parecíamos prometerlo todo, nos quedamos a la mitad del camino, destripados en un examen extracurricular, aislados por una zanja invisible de los que triunfaron y de los que nada alcanzaron. En fin, hoy volví a sentarme en las sillas modernizadas —también hay, como barricada de una invasión, una fuente de sodas— y pretendí leer expedientes. Vi a muchos antiguos compañeros, cambiados, amnésicos, retocados de luz neón, prósperos. Con el café que casi no reconocía, con la ciudad misma, habían ido cincelándose a ritmo distinto del mío. No, ya no me reconocían; o no me querían reconocer. A lo sumo —uno o dos— una mano gorda y rápida sobre el hombro. Adiós viejo, qué tal. Entre ellos y yo mediaban los dieciocho agujeros del Country Club. Me disfracé detrás de los expedientes. Desfilaron en mi memoria los años de las grandes ilusiones, de los pronósticos felices y, también, todas las omisiones que impidieron su realización. Sentí la angustia de no poder meter los dedos en el pasado y pegar los trozos de algún rompecabezas abandonado; pero el arcón de los juguetes se va olvidando y, al cabo, ¿quién sabrá dónde fueron a dar los soldados de plomo, los cascos, las espadas de madera? Los disfraces tan queridos, no fueron más que eso. Y sin embargo, había habido constancia, disciplina, apego al deber. ¿No era suficiente, o sobraba? En ocasiones me asaltaba el recuerdo de Rilke. La gran recompensa de la aventura de juventud debe ser la muerte; jóvenes, debemos partir con todos nuestros secretos. Hoy, no tendría que volver la mirada a las ciudades de sal. ¿Cinco pesos? Dos de propina.»

«Pepe, aparte de su pasión por el derecho mercantil, gusta de teorizar. Me vio salir de Catedral, y juntos nos encaminamos a Palacio. Él es descreído, pero no le basta; en media cuadra tuvo que fabricar una teoría. Que si yo no fuera mexicano, no adoraría a Cristo y —No, mira, parece evidente. Llegan los españoles y te proponen adorar a un Dios muerto hecho un coágulo, con el costado herido, clavado en una cruz. Sacrificado. Ofrendado. ¿Qué cosa más natural que aceptar un sentimiento tan cercano a todo tu ceremonial, a toda tu vida?... Figúrate, en cambio, que México hubiera sido conquistado por budistas o por mahometanos. No es concebible que nuestros indios veneraran a un individuo que murió de indigestión. Pero un Dios al que no le basta que se sacrifiquen por él, sino que incluso va a que le arranquen el corazón, ¡caramba, jaque mate a Huitzilopochtli! El cristianismo, en su sentido cálido, sangriento, de sacrificio y liturgia, se vuelve una prolongación natural y novedosa de la religión indígena. Los aspectos caridad, amor y la otra mejilla, en cambio, son rechazados. Y todo en México es eso: hay que matar a los hombres para poder creer en ellos.

»Pepe conocía mi afición, desde joven, por ciertas formas del arte indígena mexicano. Yo colecciono estatuillas, ídolos, cacharros. Mis fines de semana los paso en Tlaxcala o en Teotihuacán. Acaso por esto le guste relacionar todas las teorías que elabora para mi consumo con estos temas. Por cierto que busco una réplica razonable del Chac Mool desde hace tiempo, y hoy Pepe me informa de un lugar en la Lagunilla donde venden uno de piedra y parece que barato. Voy a ir el domingo.

»Un guasón pintó de rojo el agua del garrafón en la oficina, con la consiguiente perturbación de las labores. He debido consignarlo al Director, a quien sólo le dio mucha risa. El culpable se ha valido de esta circunstancia para hacer sarcasmos a mis costillas el día entero, todos en torno al agua. Ch...»

«Hoy domingo, aproveché para ir a la Lagunilla. Encontré el Chac Mool en la tienducha que me señaló Pepe. Es una pieza preciosa, de tamaño natural, y aunque el marchante asegura su originalidad, lo dudo. La piedra es corriente, pero ello no aminora la elegancia de la postura o lo macizo del bloque. El desleal vendedor le ha embarrado salsa de tomate en la barriga al ídolo para convencer a los turistas de la sangrienta autenticidad de la escultura.

»El traslado a la casa me costó más que la adquisición. Pero ya está aquí, por el momento en el sótano mientras reorganizo mi cuarto de trofeos a fin de darle cabida. Estas figuras necesitan sol vertical y fogoso; ése fue su elemento y condición. Pierde mucho mi Chac Mool en la oscuridad del sótano; allí, es un simple bulto agónico, y su mueca parece reprocharme que le niegue la luz. El comerciante tenía un foco que iluminaba verticalmente a la escultura, recortando todas sus aristas y dándole una expresión más amable. Habrá que seguir su ejemplo.»

«Amanecí con la tubería descompuesta. Incauto, dejé correr el agua de la cocina y se desbordó, corrió por el piso y llego hasta el sótano, sin que me percatara. El Chac Mool resiste la humedad, pero mis maletas sufrieron. Todo esto, en día de labores, me obligó a llegar tarde a la oficina.»

«Vinieron, por fin, a arreglar la tubería. Las maletas, torcidas. Y el Chac Mool, con lama en la base.»

«Desperté a la una: había escuchado un quejido terrible. Pensé en ladrones. Pura imaginación.»

«Los lamentos nocturnos han seguido. No sé a qué atribuirlo, pero estoy nervioso. Para colmo de males, la tubería volvió a descomponerse, y las lluvias se han colado, inundando el sótano.»

«El plomero no viene; estoy desesperado. Del Departamento del Distrito Federal, más vale no hablar. Es la primera vez que el agua de las lluvias no obedece a las coladeras y viene a dar a mi sótano. Los quejidos han cesado: vaya una cosa por otra.»

«Secaron el sótano, y el Chac Mool está cubierto de lama. Le da un aspecto grotesco, porque toda la masa de la escultura parece padecer de una erisipela verde, salvo los ojos, que han permanecido de piedra. Voy a aprovechar el domingo para raspar el musgo. Pepe me ha recomendado cambiarme a una casa de apartamentos, y tomar el piso más alto, para evitar estas tragedias acuáticas. Pero yo no puedo dejar este caserón, ciertamente muy grande para mí solo, un poco lúgubre en su arquitectura porfiriana. Pero que es la única herencia y recuerdo de mis padres. No sé qué me daría ver una fuente de sodas con sinfonola en el sótano y una tienda de decoración en la planta baja.»

«Fui a raspar el musgo del Chac Mool con una espátula. Parecía ser ya parte de la piedra; fue labor de más de una hora, y sólo a las seis de la tarde pude terminar. No se distinguía muy bien en la penumbra; al finalizar el trabajo, seguí con la mano los contornos de la piedra. Cada vez que lo repasaba, el bloque parecía reblandecerse. No quise creerlo: era ya casi una pasta. Este mercader de la Lagunilla me ha timado. Su escultura precolombina es puro yeso, y la humedad acabará por arruinarla. Le he echado encima unos trapos; mañana la pasaré a la pieza de arriba, antes de que sufra un deterioro total.»

«Los trapos han caído al suelo. Increíble. Volví a palpar al Chac Mool. Se ha endurecido pero no vuelve a la consistencia de la piedra. No quiero escribirlo: hay en el torso algo de la textura de la carne, al apretar los brazos los siento de goma, siento que algo circula por esa figura recostada... Volví a bajar en la noche. No cabe duda: el Chac Mool tiene vello en los brazos.»

«Esto nunca me había sucedido. Tergiversé los asuntos en la oficina, giré una orden de pago que no estaba autorizada, y el Director tuvo que llamarme la atención. Quizá me mostré hasta descortés con los compañeros. Tendré que ver a un médico, saber si es imaginación o delirio o qué, y deshacerme de ese maldito Chac Mool.»

Hasta aquí la escritura de Filiberto era la antigua, la que tantas veces vi en formas y memoranda, ancha y ovalada. La entrada del 25 de agosto, sin embargo, parecía escrita por otra persona. A veces como niño, separando trabajosamente cada letra; otras, nerviosa, hasta diluirse en lo ininteligible. Hay tres días vacíos, y el relato continúa:

«Todo es tan natural; y luego se cree en lo real... pero esto lo es, más que lo creído por mí Si es real un garrafón, y más, porque nos damos mejor cuenta de su existencia, o estar, si un bromista pinta el agua de rojo... Real bocanada de cigarro efímera, real imagen monstruosa en un espejo de circo, reales, ¿no lo son todos los muertos, presentes y olvidados?... Si un hombre atravesara el Paraíso en un sueño, y le dieran una flor como prueba de que había estado allí, y si al despertar encontrara esa flor en su mano... ¿entonces, qué?... Realidad: cierto día la quebraron en mil pedazos, la cabeza fue a dar allá, la cola aquí y nosotros no conocemos más que uno de los trozos desprendidos de su gran cuerpo. Océano libre y ficticio, sólo real cuando se le aprisiona en el rumor de un caracol marino. Hasta hace tres días, mi realidad lo era al grado de haberse borrado hoy; era movimiento reflejo, rutina, memoria, cartapacio. Y luego, como la tierra que un día tiembla para que recordemos su poder, o como la muerte que un día llegará, recriminando mi olvido de toda la vida, se presenta otra realidad: sabíamos que estaba allí, mostrenca; ahora nos sacude para hacerse viva y presente. Pensé, nuevamente, que era pura imaginación: el Chac Mool, blando y elegante, había cambiado de color en una noche; amarillo, casi dorado, parecía indicarme que era un dios, por ahora laxo, con las rodillas menos tensas que antes, con la sonrisa más benévola. Y ayer, por fin, un despertar sobresaltado, con esa seguridad espantosa de que hay dos respiraciones en la noche, de que en la oscuridad laten más pulsos que el propio. Sí, se escuchaban pasos en la escalera. Pesadilla. Vuelta a dormir... No sé cuánto tiempo pretendí dormir. Cuando volví a abrir los ojos, aún no amanecía.

El cuarto olía a horror, a incienso y sangre. Con la mirada negra, recorrí la recámara, hasta detenerme en dos orificios de luz parpadeante, en dos flámulas crueles y amarillas.

»Casi sin aliento, encendí la luz.

»Allí estaba Chac Mool, erguido, sonriente, ocre, con su barriga encarnada. Me paralizaban los dos ojillos, casi bizcos, muy pegados al caballete de la nariz triangular. Los dientes inferiores mordían el labio superior, inmóviles; sólo el brillo del casquetón cuadrado sobre la cabeza anormalmente voluminosa, delataba vida. Chac Mool avanzó hacia mi cama; entonces empezó a llover.»

Recuerdo que a fines de agosto, Filiberto fue despedido de la Secretaría, con una recriminación pública del Director y rumores de locura y hasta de robo. Esto no lo creí. Sí pude ver unos oficios descabellados, preguntándole al Oficial Mayor si el agua podía olerse, ofreciendo sus servicios al Secretario de Recursos Hidráulicos para hacer llover en el desierto. No supe qué explicación darme a mí mismo; pensé que las lluvias, excepcionalmente fuertes, de ese verano, habían enervado a mi amigo. O que alguna depresión moral debía producir la vida en aquel caserón antiguo, con la mitad de los cuartos bajo llave y empolvados, sin criados ni vida de familia. Los apuntes siguientes son de fines de septiembre:

«Chac Mool puede ser simpático cuando quiere, "...un gluglú de agua embelesada"... Sabe historias fantásticas sobre los monzones, las lluvias ecuatoriales y el castigo de los desiertos; cada planta arranca de su paternidad mítica: el sauce es su hija descarriada; los lotos, sus niños mimados; su suegra, el cacto. Lo que no puedo tolerar es el olor, extrahumano, que emana de esa carne que no lo es, de las sandalias flamantes de vejez. Con risa estridente, Chac Mool revela cómo fue descubierto por Le Plongeon y puesto físicamente en contacto de hombres de otros símbolos. Su espíritu ha vivido en el cántaro y en la tempestad, naturalmente; otra cosa es su piedra, y haberla arrancado del escondite maya en el que yacía es artificial y cruel. Creo que Chac Mool nunca lo perdonará. Él sabe de la inminencia del hecho estético.

»He debido proporciónarle sapolio para que se lave el vientre que el mercader, al creerlo azteca, le untó de salsa *ketchup*. No pareció gustarle mi pregunta sobre su parentesco con Tláloc[1], y cuando se enoja, sus dientes, de por sí repulsivos, se afilan y brillan. Los primeros días, bajó a dormir al sótano; desde ayer, lo hace en mi cama.»

«Ha empezado la temporada seca. Ayer, desde la sala donde ahora duermo, comencé a oír los mismos lamentos roncos del principio, seguidos de ruidos terribles. Subí; entreabrí la puerta de la recámara: Chac Mool estaba rompiendo las lámparas, los muebles; al verme, saltó hacia la puerta con las manos arañadas, y apenas pude cerrar e irme a esconder al baño. Luego bajó, jadeante, y pidió agua; todo el día tiene corriendo los grifos, no queda un centímetro seco en la casa. Tengo que dormir muy abrigado, y le he pedido que no empape más la sala[2].»

---

[1]Deidad azteca de la lluvia.

[2]Filiberto no explica en qué lengua se entendía con el Chac Mool.

«El Chac inundó hoy la sala. Exasperado, le dije que lo iba a devolver al mercado de la Lagunilla. Tan terrible como su risilla —horrorosamente distinta a cualquier risa de hombre o de animal— fue la bofetada que me dio, con ese brazo cargado de pesados brazaletes. Debo reconocerlo: soy su prisionero. Mi idea original era bien distinta: yo dominaría a Chac Mool, como se domina a un juguete; era, acaso, una prolongación de mi seguridad infantil; pero la niñez —¿quién lo dijo?— es fruto comido por los años, y yo no me he dado cuenta... Ha tomado mi ropa y se pone la bata cuando empieza a brotarle musgo verde. El Chac Mool está acostumbrado a que se le obedezca, desde siempre y para siempre; yo, que nunca he debido mandar, sólo puedo doblegarme ante él. Mientras no llueva —¿y su poder mágico?— vivirá colérico e irritable.»

«Hoy descubrí que en las noches Chac Mool sale de la casa. Siempre, al oscurecer, canta una tonada chirriona y antigua, más vieja que el canto mismo. Luego cesa. Toqué varias veces a su puerta, y como no me contestó, me atreví a entrar. No había vuelto a ver la recámara desde el día en que la estatua trató de atacarme: está en ruinas, y allí se concentra ese olor a incienso y sangre que ha permeado la casa. Pero detrás de la puerta, hay huesos: huesos de perros, de ratones y gatos. Esto es lo que roba en la noche el Chac Mool para sustentarse. Esto explica los ladridos espantosos de todas las madrugadas.»

«Febrero, seco. Chac Mool vigila cada paso mío; me ha obligado a telefonear a una fonda para que diariamente me traigan un portaviandas. Pero el dinero sustraído de la oficina ya se va a acabar. Sucedió lo inevitable: desde el día primero, cortaron el agua y la luz por falta de pago. Pero Chac Mool ha descubierto una fuente pública a dos cuadras de aquí; todos los días hago diez o doce viajes por agua, y él me observa desde la azotea. Dice que si intento huir me fulminará: también es Dios del Rayo. Lo que él no sabe es que estoy al tanto de sus correrías nocturnas... Como no hay luz, debo acostarme a las ocho. Ya debería estar acostumbrado al Chac Mool, pero hace poco, en la oscuridad, me topé con él en la escalera, sentí sus brazos helados, las escamas de su piel renovada y quise gritar.»

«Si no llueve pronto, el Chac Mool va a convertirse otra vez en piedra. He notado sus dificultades recientes para moverse; a veces se reclina durante horas, paralizado, contra la pared y parece ser, de nuevo, un ídolo inerme, por más dios de la tempestad y el trueno que se le considere. Pero estos reposos sólo le dan nuevas fuerzas para vejarme, arañarme como si pudiese arrancar algún líquido de mi carne. Ya no tienen lugar aquellos intermedios amables durante los cuales relataba viejos cuentos; creo notar en él una especie de resentimiento concentrado. Ha habido otros indicios que me han puesto a pensar: los vinos de mi bodega se están acabando; Chac Mool acaricia la seda de la bata; quiere que traiga una criada a la casa; me ha hecho enseñarle a usar jabón y lociones. Incluso hay algo viejo en su cara que antes parecía eterna. Aquí puede estar mi salvación: si el Chac cae en tentaciones, si se humaniza, posiblemente todos sus siglos de vida se acumulen en un instante y caiga fulminado por el poder aplazado del tiempo. Pero también me pongo a pensar en algo terrible: el Chac no querrá que yo asista a su derrumbe, no querrá un testigo... es posible que desee matarme.»

«Hoy aprovecharé la excursión nocturna de Chac para huir. Me iré a Acapulco; veremos qué puede hacerse para conseguir trabajo y esperar la muerte de Chac Mool; sí, se avecina; está canoso, abotagado. Yo necesito asolearme, nadar, recuperar fuerzas. Me quedan cuatrocientos pesos. Iré a la Pensión Müller, que es barata y cómoda. Que se adueñe de todo Chac Mool: a ver cuánto dura sin mis baldes de agua.»

Aquí termina el diario de Filiberto. No quise pensar más en su relato; dormí hasta Cuernavaca. De ahí a México pretendí dar coherencia al escrito, relacionarlo con exceso de trabajo, con algún motivo sicológico. Cuando a las nueve de la noche llegamos a la terminal, aún no podía explicarme la locura de mi amigo. Contraté una camioneta para llevar el féretro a casa de Filiberto, y desde allí ordenar el entierro.

Antes de que pudiera introducir la llave en la cerradura, la puerta se abrió. Apareció un indio amarillo, en bata de casa, con bufanda. Su aspecto no podía ser más repulsivo; despedía un olor a loción barata; quería cubrir las arrugas con la cara polveada; tenía la boca embarrada de lápiz labial mal aplicado, y el pelo daba la impresión de estar teñido.

—Perdone... no sabía que Filiberto hubiera...

—No importa; lo sé todo. Dígale a los hombres que lleven el cadáver al sótano.

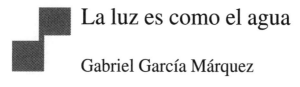

La luz es como el agua

Gabriel García Márquez

Realismo mágico, realismo poético

Una sola frase puede dar lugar a un relato. Buena prueba de ello es este cuento, construido a partir de la bella comparación que le da título, fruto, a su vez, de una anécdota autobiográfica. Lo importante de este cuento es su construcción progresiva, su pautado crecimiento argumental hasta llegar al final, hipérbole surgida a partir de la frase motivadora.

García Márquez, mundialmente reconocido como el principal representante del realismo mágico, demuestra aquí que esa forma de tratar lo fantástico tiene una profunda dimensión poética. En efecto, el tema del cuento es «la poesía de los utensilios domésticos».

Como en *Peter Pan*, de J.M. Barrie, la dimensión fantástica y poética del relato, representada por los niños, está en contrapunto con la dimensión realista representada por los padres. No es casual que cada irrupción de lo fantástico en la casa ocurre cuando los padres están fuera, viendo películas realistas, para adultos, como *El último tango en París* o *La batalla de Argel*.

En Navidad los niños volvieron a pedir un bote de remos.

—De acuerdo —dijo el papá—, lo compraremos cuando volvamos a Cartagena.

Totó, de nueve años, y Joel, de siete, estaban más decididos de lo que sus padres creían.

—No —dijeron a coro—. Nos hace falta ahora y aquí.

—Para empezar —dijo la madre—, aquí no hay más aguas navegables que la que sale de la ducha.

Tanto ella como el esposo tenían razón. En la casa de Cartagena de Indias había un patio con un muelle sobre la bahía, y un refugio para dos yates grandes. En cambio aquí en Madrid vivían apretujados en el piso quinto del número 47 del Paseo de la Castellana. Pero al final ni él ni ella pudieron negarse, porque les habían prometido un bote de remos con su sextante y su brújula si se ganaban el laurel del tercer año de primaria, y se lo habían ganado. Así que el papá compró todo sin decirle nada a su esposa, que era la más reacia a pagar deudas de juego. Era un precioso bote de aluminio con un hilo dorado en la línea de flotación.

—El bote está en el garaje —reveló el papá en el almuerzo—. El problema es que no hay cómo subirlo ni por el ascensor ni por la escalera, y en el garaje no hay más espacio disponible.

Sin embargo, la tarde del sábado siguiente los niños invitaron a sus condiscípulos para subir el bote por las escaleras, y lograron llevarlo hasta el cuarto de servicio.

—Felicitaciones —les dijo el papá—. ¿Y ahora qué?

—Ahora nada —dijeron los niños—. Lo único que queríamos era tener el bote en el cuarto, y ya está.

La noche del miércoles, como todos los miércoles, los padres se fueron al cine. Los niños, dueños y señores de la casa, cerraron puertas y ventanas, y rompieron la bombilla encendida de una lámpara de la sala. Un chorro de luz dorada y fresca como el agua empezó a salir de la bombilla rota, y lo dejaron correr hasta que el nivel llegó a cuatro palmos. Entonces cortaron la corriente, sacaron el bote, y navegaron a placer por entre las islas de la casa.

Esta aventura fabulosa fue el resultado de una ligereza mía cuando participaba en un seminario sobre la poesía de los utensilios domésticos. Totó me preguntó cómo era que la luz se encendía con sólo apretar un botón, y yo no tuve el valor de pensarlo dos veces.

—La luz es como el agua —le contesté—: uno abre el grifo, y sale.

De modo que siguieron navegando los miércoles en la noche, aprendiendo el manejo del sextante y la brújula, hasta que los padres regresaban del cine y los encontraban dormidos como ángeles de tierra firme. Meses después, ansiosos de ir más lejos, pidieron un equipo de pesca submarina. Con todo: máscaras, aletas, tanques y escopetas de aire comprimido.

—Está mal que tengan en el cuarto de servicio un bote de remos que no les sirve para nada —dijo el padre—. Pero está peor que quieran tener además equipos de buceo.

—¿Y si nos ganamos la gardenia de oro del primer semestre? —dijo Joel.

—No —dijo la madre, asustada—. Ya no más.

El padre le reprochó su intransigencia.

—Es que estos niños no se ganan ni un clavo por cumplir con su deber —dijo ella—, pero por un capricho son capaces de ganarse hasta la silla del maestro.

Los padres no dijeron al fin ni que sí ni que no. Pero Totó y Joel, que habían sido los últimos en los dos años anteriores, se ganaron en julio las dos gardenias de oro y el reconocimiento público del rector. Esa misma tarde, sin que hubieran vuelto a pedirlos, encontraron en el dormitorio los equipos de buzos en su empaque original. De modo que el miércoles siguiente, mientras los padres veían *El último tango en París,* llenaron el apartamento hasta la altura de dos brazas, bucearon como tiburones mansos por debajo de los muebles y las camas, y rescataron del fondo de la luz las cosas que durante años se habían perdido en la oscuridad.

En la premiación final los hermanos fueron aclamados como ejemplo para la escuela, y les dieron diplomas de excelencia. Esta vez no tuvieron que pedir nada, porque los padres les preguntaron qué querían. Ellos fueron tan razonables, que sólo quisieron una fiesta en casa para agasajar a los compañeros de curso.

El papá, a solas con su mujer, estaba radiante.

—Es una prueba de madurez —dijo.

—Dios te oiga —dijo la madre.

El miércoles siguiente, mientras los padres veían *La batalla de Argel,* la gente que pasó por la Castellana vio una cascada de luz que caía de un viejo edificio escondido entre los árboles. Salía por los balcones, se derramaba a raudales por la fachada, y se encauzó por la gran avenida en un torrente dorado que iluminó la ciudad hasta el Guadarrama.

Llamados de urgencia, los bomberos forzaron la puerta del quinto piso, y encontraron la casa rebosada de luz hasta el techo. El sofá y los sillones forrados en piel de leopardo flotaban en la sala a distintos niveles, entre las botellas del bar y el piano de cola y su mantón de Manila que aleteaba a media agua como una mantarraya de oro. Los utensilios domésticos, en la plenitud de su poesía, volaban con sus propias alas por el cielo de la cocina. Los instrumentos de la banda de guerra, que los niños usaban para bailar, flotaban al garete entre los peces de colores liberados de la pecera de mamá, que eran los únicos que flotaban vivos y felices en la vasta ciénaga iluminada. En el cuarto de baño flotaban los cepillos de dientes de todos, los preservativos de papá, los pomos de cremas y la dentadura de repuesto de mamá, y el televisor de la alcoba principal flotaba de costado, todavía encendido en el último episodio de la película de media noche prohibida para niños.

Al final del corredor, flotando entre dos aguas, Totó estaba sentado en la popa del bote, aferrado a los remos y con la máscara puesta, buscando el faro del puerto hasta donde le alcanzó el aire de los tanques, y Joel flotaba en la proa buscando todavía la altura de la estrella polar con el sextante, y flotaban por toda la casa sus treinta y siete compañeros de clase, eternizados en el instante de hacer pipí en la maceta de geranios, de cantar el himno de la escuela con la letra cambiada por versos de burla contra el rector, de beberse a escondidas un vaso de brandy de la botella de papá. Pues habían abierto tantas luces al mismo tiempo que la casa se había rebosado, y todo el cuarto año elemental de la escuela de San Julián el Hospitalario se había ahogado en el piso quinto del número 47 del Paseo de la Castellana. En Madrid de España, una ciudad remota de veranos ardientes y vientos helados, sin mar ni río, y cuyos aborígenes de tierra firme nunca fueron maestros en la ciencia de navegar en la luz.

No más amores

Javier Marías

Disolución de lo fantástico a través de la ironía

Nos encontramos ante un clásico tema fantástico, el del fantasma, pero sometido a un distanciamiento irónico que acaba diluyéndolo y desarmando su carga inquietante. La ubicación del cuento en un ámbito tópicamente propicio, una localidad del sudeste de Inglaterra, a principios de siglo, contribuye a reforzar este tratamiento irónico, tan característico de la literatura inglesa.

Javier Marías se basa en fuentes literarias y cinematográficas que él mismo explicita: el cuento «Polly Morgan», de Alfred Edgar Coppard, y la película *El fantasma y la señora Muir*, de Joseph L. Mankiewicz. Como homenaje a estos antecedentes, llama a su protagonista Molly Morgan Muir. Son también abundantes las referencias a escritores que han tratado el tema fantasmagórico: Henry James, Stevenson, Dumas, Conan Doyle, Dickens...

Ya desde el principio se ironiza a costa de los fantasmas, «si es que aún existen». Este tono escéptico e irónico se mantiene a lo largo del relato hasta el final: «Y se piensa que quizá fue eso lo que la mantuvo todavía viva durante bastantes años». El fantasma del cuento pierde en seguida su tradicional sentido terrorífico y pasa a insertarse en la vida cotidiana de la protagonista. Acaba convirtiéndose en una silenciosa presencia que le proporciona compañía y afecto a lo largo de los años.

Javier Marías ha realizado aquí un brillante ejercicio de estilo, consistente en dar la vuelta a todas las convenciones del género fantasmagórico para transformar lo excepcional en cotidiano, lo terrorífico en serena afectividad.

Es muy posible que los fantasmas, si es que aún existen, tengan por criterio contravenir los deseos de los inquilinos mortales, apareciendo si su presencia no es bien recibida y escondiéndose si se los espera y reclama. Aunque a veces se ha llegado a algunos pactos, como se sabe gracias a la documentación acumulada por Lord Halifax y Lord Rymer en los años treinta.

Uno de los casos más modestos y conmovedores es el de una anciana de la localidad de Rye, hacia 1910: un lugar propicio para este tipo de relaciones imperecederas, ya que en él y en la misma casa, Lamb House, vivieron durante algunos años Henry James y Edward Frederic Benson (cada uno por su lado y en periodos distintos, y el segundo llegó a ser alcalde), dos de los escritores que más y mejor se han ocupado de tales visitas y esperas, o quizá nostalgias. Esta anciana, en su juventud (Molly Morgan Muir era su nombre), había sido señorita de compañía de otra mujer mayor y adinerada a quien, entre otros servicios prestados, leía novelas en voz alta para disipar el tedio de su falta de necesidades y de una viudez temprana para la que no había habido remedio: la señora Cromer-Blake había sufrido algún desengaño ilícito tras su breve matrimonio según se decía en el pueblo, y eso seguramente —más que la muerte del marido poco o nada memorable— la había hecho áspera y reconcentrada a una edad en que esas características en una mujer ya no pueden resultar intrigantes ni todavía objeto de broma y entrañables. El hastío la llevaba a ser tan perezosa que difícilmente era capaz de leer por sí sola y en silencio y a solas, de ahí que exigiera de su acompañante que le transmitiera en voz alta las aventuras y los sentimientos que cada día que ella cumplía —y los cumplía muy rápida y monótonamente— parecían más alejados de aquella casa. La señora escuchaba siempre callada y absorta, y sólo de vez en cuando le pedía a Molly Morgan Muir que le repitiera algún pasaje o algún diálogo del que no se quería despedir para siempre sin hacer amago de retenerlo. Al terminar, su único comentario solía ser: «Molly, tienes una hermosa voz. Con ella encontrarás amores.»

Y era durante estas sesiones cuando el fantasma de la casa hacía su aparición: cada tarde, mientras Molly pronunciaba las palabras de Stevenson o Jane Austen o Dumas o Conan Doyle, veía difusamente la figura de un hombre joven y de aspecto rural, un mozo de cuadra o de establo. La primera vez que lo vio, de pie y con los codos apoyados en el respaldo del sillón que ocupaba la señora, como si escuchara atentamente el texto que recitaba ella, estuvo a punto de gritar del susto. Pero enseguida el joven se llevó el índice a los labios y le hizo tranquilizadoras señas de que continuara y no denunciara su presencia. Su rostro era inofensivo, con una timída sonrisa perpetua en los ojos burlones, alternada tan sólo, en algunos momentos graves de la lectura, con una seriedad alarmada e ingenua propia de quien no distingue del todo entre lo acaecido y lo imaginado. La joven obedeció, aunque no pudo evitar aquel día levantar la vista demasiadas veces y dirigirla por encima del moño de la señora Cromer-Blake, que a su vez alzaba la suya inquieta como si no estuviera segura de llevar derecho un sombrero hipotético o debidamente iluminada una aureola. «¿Qué ocurre, niña?», le dijo alterada. «¿Qué es lo que miras ahí arriba?» «Nada», contestó Molly Muir, «es una manera de descansar los ojos para volver a fijarlos luego. Tanto rato me los fatigaría.» El joven asintió con su pañuelo al cuello y la explicación bastó para que en lo sucesivo la señorita mantuviera su costumbre y pudiera saciar al menos su curiosidad visiva. Porque a partir de entonces, tarde tras tarde y con pocas excepciones, leyó para su señora y también para él, sin que aquélla se diera jamás la vuelta ni supiera de las intrusiones de éste.

El joven no rondaba ni se aparecía en ningún otro instante, por lo que Molly Muir no tuvo nunca ocasión, a través de los años, de hablar con él ni de preguntarle quién era o había sido o por qué la escuchaba. Pensó en la posibilidad de que fuera el causante del desengaño ilícito padecido por su señora en un tiempo pasado, pero de los labios de ésta jamás salieron las confidencias, pese a las insinuaciones de tantas páginas leídas y de la propia Molly en las lentas conversaciones nocturnas de media vida. Tal vez aquel rumor era falso y la señora no tenía en verdad nada que contar digno de cuento y por eso pedía oír los remotos y ajenos y más improbables. En más de una oportunidad estuvo Molly tentada de ser piadosa y relatarle lo que ocurría todas las tardes a sus espaldas, hacerla partícipe de su pequeña emoción cotidiana, comunicarle la existencia de un hombre entre aquellas paredes cada vez más asexuadas y taciturnas en las que sólo resonaban, a veces durante noches y días seguidos, las voces femeninas de ambas, cada vez más avejentada y confusa la de la señora, cada mañana un poco menos hermosa y más débil y huida la de Molly Muir, que en contra de las predicciones no le había traído amores, o al menos no que se quedaran y pudieran tocarse. Pero siempre que estuvo a punto de caer en la tentación recordó al instante el gesto discreto del joven —el índice sobre los labios, repetido de vez en cuando con los ojos de leve guasa—, y guardó silencio. Lo último que deseaba era enfadarlo. Quizá era sólo que los fantasmas se aburren igual que las viudas.

Cuando la señora Cromer-Blake murió, ella siguió en la casa, y durante unos días, afligida y desconcertada, dejó de leer: el joven no apareció. Convencida de que aquel muchacho rural deseaba tener la instrucción de la que seguramente había carecido en vida, pero también temerosa de que no fuera así y de que su presencia hubiera estado relacionada misteriosamente con la señora tan sólo, decidió volver a leer en voz alta para invocarlo, y no sólo novelas, sino tratados de historia y de ciencias naturales. El joven tardó algunas fechas en reaparecer —quién sabe si guardan luto los fantasmas, con más motivo que nadie—, pero por fin lo hizo, tal vez atraído por las nuevas materias, acerca de las cuales siguió escuchando con la misma atención, aunque ya no de pie y acodado sobre el respaldo, sino cómodamente sentado en el sillón vacante, a veces con las piernas cruzadas y una pipa encendida en la mano, como el patriarca que nunca debió de ser.

La joven, que se fue haciendo mayor, le hablaba con cada vez más confianza, pero sin obtener nunca respuesta: los fantasmas no siempre pueden

o quieren hablar. Y con esa siempre mayor y unila-
teral confianza transcurrieron los años, hasta que
llegó un día en que el muchacho no se presentó, y
tampoco lo hizo durante los días ni las semanas siguientes. La joven que ya era casi vieja se preocupó
al principio como una madre, temiendo que le hubiera sucedido algún percance grave o desgracia,
sin darse cuenta de que ese verbo sólo cabe entre
los mortales y que quienes no lo son están a salvo.
Cuando reparó en ello su preocupación dio paso a
la desesperación: tarde tras tarde contemplaba el sillón vacío e increpaba al silencio, hacía dolidas preguntas a la nada, lanzaba reproches al aire invisible,
se preguntaba cuál había sido su falta o error y bus-
caba con afán nuevos textos que pudieran atraer la
curiosidad del joven y hacerlo volver, nuevas disci-
plinas y nuevas novelas, y esperaba con avidez cada
nueva entrega de Sherlock Holmes, en cuya habilidad y lirismo confiaba más que en casi ningún otro
cebo científico o literario. Y seguía leyendo en voz
alta a diario, por ver si él acudía.

Una tarde, al cabo de meses de desolación, se
encontró con que la señal del libro de Dickens que le
estaba leyendo pacientemente en ausencia no se hallaba donde la había dejado, sino muchas páginas más
adelante. Leyó con atención allí donde él la había
puesto, y entonces comprendió con amargura y sufrió
el desengaño de toda vida, por recóndita y quieta que
sea. Había una frase del texto que decía: «Y ella enve-
jeció y se llenó de arrugas, y su voz cascada ya no le
resultaba grata.» Cuenta Lord Rymer que la anciana
se indignó como una esposa repudiada, y que lejos de
resignarse y callar le dijo al vacío con gran reproche:
«Eres injusto. Tú no envejeces y quieres voces gratas

y juveniles, y contemplar caras tersas y luminosas. No creas que no lo entiendo, eres joven y lo serás ya siempre. Pero yo te he instruido y distraído durante años, y si gracias a mí has aprendido tantas cosas y también a leer no es para que ahora me dejes mensajes ofensivos a través de mis textos que he compartido contigo siempre. Ten en cuenta que cuando murió la señora yo podía haber leído en silencio, y no lo hice. Comprendo que puedas ir en busca de otras voces, nada te ata a mí y es cierto que nunca me has pedido nada, luego tampoco nada me debes. Pero si conoces el agradecimiento, te pido que al menos vengas una vez a la semana a escucharme y tengas paciencia con mi voz que ya no es hermosa y ya no te agrada, porque no va a traerme más amores. Yo me esforzaré y seguiré leyendo lo mejor posible. Pero ven, porque ahora que ya soy vieja soy yo quien necesita de tu distracción y presencia.»

Según Lord Rymer, el fantasma del joven rústico eterno no fue enteramente desaprensivo y atendió a razones o supo lo que era el agradecimiento: a partir de entonces, y hasta su muerte, Molly Morgan Muir esperó con ilusión e impaciencia la llegada del día elegido en que su impalpable amor silencioso accedía a volver al pasado de su tiempo en el que en realidad ya no había ningún pasado ni ningún tiempo, la llegada de cada miércoles. Y se piensa que quizá fue eso lo que la mantuvo todavía viva durante bastantes años, es decir, con pasado y presente y también futuro, o quizá son nostalgias.

El árbol de oro

Ana María Matute

La fuerza de la ilusión

La fascinación que sentimos por lo fantástico brota, sin duda, de los oscuros y mágicos manantiales de la infancia, que no se secan nunca, ni siquiera cuando, para acceder al mundo adulto, tenemos que pagar tributo a la racionalidad.

Ana María Matute ha hecho de la infancia uno de los temas básicos de su narrativa, por lo que con frecuencia ha tratado lo fantástico, incluso durante la época de auge del realismo social. «El árbol de oro», publicado en 1961, es una buena muestra de ello. El árbol adquiere un valor simbólico, el de las ilusorias creencias infantiles, todavía vivas en Ivo, el niño que protagoniza el cuento. Hasta aquí, todo podría encajar dentro de la literatura infantil más convencional.

Pero la autora da al relato un desenlace que lo inserta dentro de la literatura fantástica. El narrador, incrédulo en su momento, justamente cuando se encuentra en la frontera entre la infancia y la juventud, percibe, de manera tan indudable como inexplicable, la presencia del árbol. Ivo ha legado sus ilusiones infantiles a su amigo en el momento en que éste empieza a dejar de ser un niño.

Otra de las claves de este cuento aparentemente sencillo, pero lleno de alusiones simbólicas, la encontramos en la torre desde la que puede percibirse el fantástico árbol dorado. No parece casual que en ella se guarden precisamente los libros de lectura de los niños. La literatura aparece así sutilmente vinculada con el mundo de las ilusiones fantásticas. Y, en efecto, ¿qué es la literatura, sino ilusión, fantasía?

Asistí durante un otoño a la escuela de la señorita Leocadia, en la aldea, porque mi salud no andaba bien y el abuelo retrasó mi vuelta a la ciudad. Como era el tiempo frío y estaban los suelos embarrados y no se veía rastro de muchachos, me aburría dentro de la casa, y pedí al abuelo asistir a la escuela. El abuelo consintió, y acudí a aquella casita alargada y blanca de cal, con el tejado pajizo y requemado por el sol y las nieves, a las afueras del pueblo.

La señorita Leocadia era alta y gruesa, tenía el carácter más bien áspero y grandes juanetes en los pies, que la obligaban a andar como quien arrastra cadenas. Las clases en la escuela, con la lluvia rebotando en el tejado y en los cristales, con las moscas pegajosas de la tormenta persiguiéndose alrededor de la bombilla, tenían su atractivo. Recuerdo especialmente a un muchacho de unos diez años, hijo de un aparcero muy pobre, llamado Ivo. Era un muchacho delgado, de ojo azules, que bizqueaba ligeramente al hablar. Todos los muchachos y muchachas de la escuela admiraban y envidiaban un poco a Ivo, por el don que poseía de atraer la atención sobre sí, en todo momento. No es que fuera ni inteligente ni gracioso, y, sin embargo, había algo en él, en su voz quizá, en las cosas que contaba, que conseguía cautivar a quien le escuchase. También la señorita Leocadia se dejaba prender de aquella red de plata que Ivo tendía a cuantos atendían sus enrevesadas conversaciones, y —yo creo que muchas veces contra su voluntad— la señorita Leocadia le confiaba a Ivo tareas deseadas por todos, o distinciones que merecían alumnos más estudiosos y aplicados.

Quizá lo que más se envidiaba de Ivo era la posesión de la codiciada llave de *la torrecita*. Ésta era, en efecto, una pequeña torre situada en un ángulo de la escuela, en cuyo interior se guardaban los libros de lectura. Allí entraba Ivo a buscarlos, y allí volvía a dejarlos, al terminar la clase. La señorita Leocadia se lo encomendó a él, nadie sabía en realidad por qué.

Ivo estaba muy orgulloso de esta distinción, y por nada lel mundo la hubiera cedido. Un día, Mateo Heredia, el más aplicado y estudioso de la escuela, pidió encargarse de la tarea —a todos nos fascinaba el misterioso interior de la torrecita, donde no entramos nunca—, y la señorita Leocadia pareció acceder. Pero Ivo se levantó, y acercándose a la maestra empezó a hablarle en su voz baja, bizqueando los ojos y moviendo mucho las manos, como tenía por costumbre. La maestra dudó un poco, y al fin dijo:

—Quede todo como estaba. Que siga encargándose Ivo de la torrecita.

A la salida de la escuela le pregunté:

—¿Qué le has dicho a la maestra?

Ivo me miró de través y vi relampaguear sus ojos azules.

—Le hablé del árbol de oro.

Sentí una gran curiosidad.

—¿Qué árbol?

Hacía frío y el camino estaba húmedo, con grandes charcos que brillaban al sol pálido de la tarde. Ivo empezó a chapotear en ellos, sonriendo con misterio.

—Si no se lo cuentas a nadie...

—Te lo juro, que a nadie se lo diré.

Entonces Ivo me explicó:

—Veo un árbol de oro. Un árbol completamente de oro: ramas, tronco, hojas... ¿sabes? Las hojas no se caen nunca. En verano, en invierno, siempre. Resplandece mucho; tanto, que tengo que cerrar los ojos para que no me duelan.

—¡Qué embustero eres! —dije, aunque con algo de zozobra. Ivo me miró con desprecio.

—No te lo creas —contestó—. Me es completamente igual que te lo creas o no... ¡Nadie entrará nunca en la torrecita, y a nadie dejaré ver mi árbol de oro! ¡Es mío! La señorita Leocadia lo sabe, y no se atreve a darle la llave a Mateo Heredia, ni a nadie... ¡Mientras yo viva, nadie podrá entrar allí y ver a mi árbol!

Lo dijo de tal forma que no pude evitar preguntarle:

—¿Y cómo lo ves...?

—Ah, no es fácil —dijo, con aire misterioso—. Cualquiera no podría verlo. Yo sé la rendija exacta.

—¿Rendija...?

—Sí, una rendija de la pared. Una que hay corriendo el cajón de la derecha: me agacho y me paso horas y horas... ¡Cómo brilla el árbol! ¡Cómo brilla! Fíjate que si algún pájaro se le pone encima también se vuelve de oro. Eso me digo yo: si me subiera a una rama, ¿me volvería acaso de oro también?

No supe qué decirle, pero, desde aquel momento, mi deseo de ver el árbol creció de tal forma que me desasosegaba. Todos los días, al acabar la clase de lectura, Ivo se acercaba al cajón de la maestra, sacaba la llave y se dirigía a la torrecita. Cuando volvía, le preguntaba:

—¿Lo has visto?

—Sí —me contestaba. Y, a veces, explicaba alguna novedad:

—Le han salido unas flores raras. Mira: así de grandes, como mi mano lo menos, y con los pétalos alargados. Me parece que esa flor es parecida al *arzadú.*

—¡La flor del frío! —decía yo, con asombro—. ¡Pero el *arzadú* es encarnado!

—Muy bien —asentía él, con gesto de paciencia—. Pero en mi árbol es oro puro.

—Además, el *arzadú* crece al borde de los caminos... y no es un árbol.

No se podía discutir con él. Siempre tenía razón, o por lo menos lo parecía.

Ocurrió entonces algo que secretamente yo deseaba; me avergonzaba sentirlo, pero así era: Ivo enfermó, y la señorita Leocadia encargó a otro la llave de la torrecita. Primeramente, la disfrutó Mateo Heredia. Yo espié su regreso, el primer día, y le dije:

—¿Has visto un árbol de oro?

—¿Qué andas graznando? —me contestó de malos modos, porque no era simpático, y menos conmigo. Quise dárselo a entender, pero no me hizo caso. Unos días después, me dijo:

—Si me das algo a cambio, te dejo un ratito la llave y vas durante el recreo. Nadie te verá...

Vacié mi hucha, y, por fin, conseguí la codiciada llave. Mis manos temblaban de emoción cuando entré en el cuartito de la torre. Allí estaba el cajón. Lo aparté y vi brillar la rendija en la oscuridad. Me agaché y miré.

Cuando la luz dejó de cegarme, mi ojo derecho sólo descubrió una cosa: la seca tierra de la llanura alargándose hacia el cielo. Nada más. Lo mismo que se veía desde las ventanas altas. La tierra desnuda y yerma, y nada más que la tierra. Tuve una gran decepción y la seguridad de que me habían estafado. No sabía cómo ni de qué manera, pero me habían estafado. Olvidé la llave y el árbol de oro. Antes de que llegaran las nieves regresé a la ciudad.

Dos veranos más tarde volví a las montañas. Un día, pasando por el cementerio —era ya tarde y se anunciaba la noche en el cielo: el sol, como una bola roja, caía a lo lejos, hacia la carrera terrible y sosegada de la llanura—, vi algo extraño. De la tierra grasienta y pedregosa, entre las cruces caídas, nacía un árbol grande y hermoso, con las hojas anchas de oro: encendido y brillante todo él, cegador. Algo me vino a la memoria, como un sueño, y pensé: «Es un árbol de oro.» Busqué al pie del árbol, y no tardé en dar con una crucecilla de hierro negro, mohosa por la lluvia. Mientras la enderezaba, leí: «IVO MÁRQUEZ, DE DIEZ AÑOS DE EDAD.»

Y no daba tristeza alguna, sino, tal vez, una extraña y muy grande alegría.

La prima Rosa

José María Merino

Recreación de un tema fantástico tradicional

Envuelto en una ambientación realista, que nos remite vagamente a la España rural de los años de posguerra, el relato se basa en una metamorfosis femenina. Se trata de un argumento de larga tradición tanto en la literatura popular como en la culta. En efecto, en la mitología clásica y en el folclore internacional abundan los relatos de mujeres que se transforman en diversos animales. Con frecuencia, esta transformación está vinculada a una escena de baño en un río o en el mar. Entre las versiones cultas de esta temática podemos citar la leyenda «La corza blanca», de G.A. Bécquer.

José María Merino reelabora con gran habilidad este tema tradicional. El cuento avanza desde un planteamiento realista hasta un desenlace deliberadamente ambiguo, acorde con las reglas del género fantástico. Con muy breves trazos construye un trasfondo psicológico de gran profundidad y simbolismo. La irrupción de lo fantástico constituye una experiencia vivida desde perspectivas distintas por los dos protagonistas del relato. En el joven narrador está asociada con la nostalgia de la infancia perdida, contrapuesta al monótono presente, marcado por las obligaciones derivadas de la integración en la vida adulta. Respecto a la prima Rosa, su transformación nos revela su doble y misteriosa vida, en la que su personalidad transgresora se oculta tras una apariencia de mujer rígida y convencional. Sin embargo, tanto para el protagonista como para la prima Rosa, se trata de una experiencia liberadora, que, una vez descubierta, ya nunca podrá repetirse.

Mi prima metió la llave en la cerradura y se ayudó
con ambas manos para hacerla girar. Empujó la puerta, que se abrió con resistencia chirriante. La negru-
ra, abalanzada de pronto sobre nosotros, se detuvo
en el mismo quicio y quedó súbitamente entrevera-
da por largos flecos de claridad.

—Hala, pasa —me dijo.

Por dentro, la casa era también de piedra sin
enlucir. En la penumbra, en mitad de la estancia, re-
posaba la gran masa de la muela. Salía de ella con
suave ronquido el rumor de la corriente, dándole
una apariencia misteriosa de bulto vivo.

La estancia estaba iluminada solamente por
un ventanuco de vidrios polvorientos. Unas escaleras
subían al desván. Estaban hechas de losas de piedra
que embutían un extremo en el muro y apoyaban el
otro en una larga viga de madera oblicua sostenida
sobre tres pies verticales, también de madera.

De modo brusco, sin rellano, la escalera terminaba delante de una puerta que mi prima abrió.
Ante el armazón desnudo del tejado a dos aguas, que
descendía a lo largo de la habitación y cuyas vigas
longitudinales soportaban el entablado, imaginé pe-
netrar en alguna cabaña muy alejada, en el tiempo y
en el espacio, de aquella realidad: el pueblo de mis

tíos, la tarde de junio, mi prima mostrándome mi lugar de trabajo. En el muro del fondo, una ventana abierta dejaba ver el río, el arbolado de la ribera, el monte lleno de violentos claroscuros.

En el centro de la habitación había una mesa casi negra y junto a ella una silla de anea.

—Aquí no te molestará nadie —dijo mi prima.

Al tiempo de poner los pies en el suelo —tambaleante, casi mareado tras el largo traqueteo en aquella baca llena de bancos de madera apretados donde nos apiñábamos pasajeros, paquetes y gallinas bajo el sol de la tarde— yo había comprendido que su tutela iba a ser inflexible. Me dio los besos rituales y me dijo, antes que cualquier otra cosa:

—No te habrás olvidado los libros.

No hablé. Negué con la cabeza y alcé apenas el paquete que colgaba de mi hombro izquierdo. Ella me llevó a casa, donde saludé brevemente a los tíos, me hizo dejar el equipaje, a excepción de los libros y, sin descanso alguno, me obligó a seguirla. Anduvimos por la carretera, hasta dejar atrás las últimas casas del pueblo. Por un sendero estrecho, flanqueado de espesas masas de follaje entre las que se espesaban súbitos rayos de sol, vibrantes de polvillo y de insectos, mi prima me llevó hasta el molino. El ámbito que conformaban, en aquella hora, el edificio, el río y el paisaje todo, se marcaron con precisión en mi aturdimiento.

—Aquí podrás estudiar a gusto —añadió—. Yo te tomaré las lecciones por la mañana, después del desayuno.

Mi prima logró infundirme un temor que ni el propio Don Fulgencio había conseguido nunca, con toda aquella furia suya de los lunes, cuando utilizaba la lengua latina como arma contundente que aplastaba en sus alumnos la desconocida adversidad que, al parecer, hacía tan agrias sus jornadas.

Los días eran luminosos —aunque las masas arbóreas tamizasen la luz y envolviesen el molino en una sombra verdosa, empapada de frescor— y llegaban hasta mi cuarto de estudio, mezclados con el sonido perpetuo de las aguas —un sonido dúplice: agudo y voluminoso en los murmullos del exterior, grave y tenue en el susurro que vibraba bajo mis pies, debajo de la casa—, los cantos de los ruiseñores, los mugidos, los chirridos de los vencejos y de las golondrinas, los ladridos, alguna voz humana que, por llegar fragmentada, desaparecía siempre antes de que yo hubiese logrado interpretar su sentido.

Los días eran luminosos y en su sonoridad había una plenitud de cosa acabada e irreemplazable. Y, sin embargo, yo llegué a aborrecerlos tanto como los días oscuros entre las paredes del Seminario e incluso más, ya que las rutinas y los fastidios eran allí compartidos y la adversidad se distribuía ampliamente entre todos nosotros; pero en la soledad del molino, en mi aislamiento, yo era el único objetivo del rigor profesoral.

Intentaba forzar la demora frente al tazón de café con leche, pero mi prima no lo toleraba.

—Vamos, espabila, no te embobes.

Y luego era minuciosa examinadora de mis conocimientos, con una parsimoniosa evaluación de cada pregunta que no soslayaba ni la letra pequeña.

Al principio estaba envuelto aún en una imprecisa modorra, que yo quería atribuir al aturdimiento del viaje, y en una voluntad no muy concreta pero indudable de ocio, que me dificultaba, incluso físicamente, fijar la atención en las páginas de los libros, emborronando el campo de mi visión. Todo aquello me impedía contestar, con una mínima dignidad, las preguntas de la prima. No comentó nada el primer día, ni el segundo. El tercero, cerró de golpe el libro y me miró a los ojos con dureza, con un fulgor de aversión y disgusto.

Tenía los ojos pardos, pequeños, llenos de chispitas doradas y rojas. Un ojo era de tono más oscuro que el otro. La fijeza de la expresión, junto con aquella disparidad, me turbaron.

—Oye, a mí no me vas a tomar tú el pelo —dijo—. Si sigues así, lías los bártulos y te vuelves a tu casa. Para empezar, esta tarde le escribo a tu padre.

Me imagino que palidecí. Aún me parecía sentir en las orejas, en el cuello, por toda la espalda, los rotundos manotazos de mi padre.

—No, prima —exclamé apresuradamente—. Estudiaré. Te juro que voy a estudiar. Es que estos días no sé qué me pasa.

Mi madre se asustó de la paliza. Él había enrojecido y respiraba agitadamente.

—Te mato, mamón —balbuceaba.

Y aquella misma noche decidió mandarme a casa de su hermano, para que la prima Rosa, que era su ahijada y estudiaba Magisterio, me controlase. Mientras yo hipaba en la cama, ante el silencio asustado de mis hermanos, les oía hablar en la cocina, discutiendo todos los extremos de una larga carta en que exponían dramáticamente el caso: aquel curso mío lleno de faltas, distracciones y continuo empeoramiento, que había culminado en la catástrofe de varios suspensos y una advertencia del Padre Rector sobre mi porvenir.

Me obligué a estudiar, con los codos apoyados en la mesa, violentando con una disposición dolorosa la repugnancia que sentía en todo mi cuerpo. A menudo dejaba el estudio y bajaba a orinar en la presa, recuperando sólo en esos momentos, mientras mi meada salpicaba en el agua tranquila, multiplicando las ondas en la superficie y entorpeciendo por un momento la limpísima visión del fondo pedregoso, la conciencia del verano tan dulce y gratuito, que cruzaban felices las golondrinas y las libélulas. La meada concluía y sobre mí caía el recuerdo del libro en la mesa del desván como debe de caer la hoja de la guillotina sobre el cuello de las víctimas, haciendo definitiva la obligación de asumir una renuncia absoluta y sin remedio.

Nunca el verano ha sido tan hermoso, tan pleno, y nunca lo perdí tanto como entonces. Al cabo, me resigné a aquellas duras jornadas de estudio y examen, inmerso en una estupefacción similar a la que debían de sentir los galeotes mientras empujaban los remos del navío y, cuando levantaba la vista y contemplaba el monte encendido de sol y las hojas brillantes en el suave meneo de la brisa, comprendía que yo estaba condenado a contemplar el paraíso desde el exterior de la reja.

Pero con el paso de los días, aquella voluntad mía tan desesperada me fue facilitando la rutina del estudio, y me era ya posible pasar cada mañana el implacable examen de mi prima y, sin embargo, distraerme por la tarde algún tiempo, la mirada perdida en el paisaje. Así fue como la vi.

La primera vez fue sólo un instante: un bulto femenino, que me pareció el de mi prima, atravesó el sendero, en un pequeño trecho que no ocultaban los zarzales y los árboles. Al rato, oí un chapoteo, como de alguien que se hubiese tirado al agua.

La tarde siguiente ya estaba atento y, aunque también pasó rápida, vi claramente que era ella. El chapoteo subsiguiente confirmó mi suposición de que, sin duda, mi prima venía al río a bañarse.

Se suscitó entonces en mí una gran curiosidad por contemplar furtivamente su baño. Creo que aquella curiosidad no estaba fomentada por una pasión concupiscente —ya que los estímulos de la carne tenían entonces para mí una sugerencia sólo muy borrosa e imprecisa—, sino más bien por una suerte de venganza. Me parecía que contemplar a mi prima en la intimidad de su baño, sin que ella lo supiese, era como vengar un poco la férrea autoridad que continuamente, y sobre todo cada mañana, dejaba caer sobre mí.

Aquella tarde me ensimismé, pues, en la imaginación del acto de rebeldía y la tarde siguiente apenas miré el libro, pendiente tan sólo de su llegada. Cuando la vi pasar, bajé rápido y sigiloso, busqué el sendero y lo seguí hasta adentrarme entre la vegetación de la ribera. Llegué por fin al lugar en que mi prima se había desnudado: sobre el tocón de un árbol, en cuya base se ofrecían las bandejitas doradas de unos hongos, estaba su ropa, cuidadosamente doblada.

Oí un fuerte chapoteo y me asomé con cuidado entre las ramas, esperando verla en el lugar de donde había provenido el ruido. Sin embargo, no vi otra cosa que la superficie solitaria del río, alterada únicamente por los leves rizos de la corriente.

La inesperada soledad me desconcertó, hasta que un nuevo chapoteo, esta vez al otro lado, en la parte del molino, me hizo pensar que sin duda mi prima había nadado hacia allí, y temí que acabase por descubrir mi acecho; de modo que, agachándome, retrocedí por el sendero hasta el lugar en que el agua era visible otra vez.

Tampoco en esa parte había indicio alguno de mi prima. Al fondo, el molino silencioso, rodeado de hiedra, que nunca había contemplado desde aquel punto, me hizo imaginarme a mí dentro, tras la ventana abierta que como un ojo vacío, presidía en lo alto la inmovilidad pétrea y oscura del edificio.

El río seguía su curso a un lado del molino; el agua de la presa, oscura por la sombra, entraba bajo él como si fuera tragada por una enorme boca. El arbolado de la orilla ocultaba ya el sol, que estaba muy bajo, y había en el aire un reverbero azulado, casi violeta.

Recuerdo que sentí un extraño temor: hasta tal punto el lugar había adquirido, en aquel momento, una apariencia inusual. Y entonces vi la trucha.

Estaba muy cerca del lugar en que divergían la corriente principal y la de la presa, y era inmensa. Yo había visto en mi pueblo truchas grandes: hubo una que sacaron con garrafa, que pesó cerca de los trece kilos, y desde luego que en el agua no aparentaba ni la mitad que ésta. Por un momento —aunque mi conciencia no dudaba— razoné que era una gran piedra oscura y alargada no vista anteriormente. Pero aquella forma inconfundible, que permitía bajo ella el paso de la incierta claridad, y una inmovilidad en que era posible adivinar, no obstante, la permanente vibración, se manifestaban como testimonios indudables de que se trataba de una trucha. Su aspecto se hacía más imponente por la falta de profundidad del lugar en que se hallaba.

Me quedé contemplándola absorto durante largo rato. La oscuridad fue haciéndose mayor. Al cabo, la trucha giró de pronto, sacudió su aleta caudal y desapareció río arriba, con rapidez de relámpago.

Aquella trucha enorme se me presentó como una imagen desmesurada de todas mis nostalgias invernales. En aquella abulia del Seminario, que me había atrapado entre sus mallas durante el curso, latía una nostalgia irremediable en la que el río y las truchas tenían un papel importante. Las rutinas hipnóticas que giraban entre el olor de los guisos, los chuscos de pan y los mármoles grasientos, a lo largo de estancias frías y pasillos altos y oscuros, de jornadas largas y desoladoras como purgatorios, me habían hecho patente aquel curso, segundo de mis estudios seminaristas, el valor de lo que había abandonado. Y uno de los mayores tesoros de mi recuerdo eran, precisamente, los días de pesca. Desde muy niño, yo me había ejercitado en conocer y practicar los modos diversos de pescar las truchas. Aún no sabía nadar y ya era capaz de atraparlas bajo las piedras, en una búsqueda tenaz que no inhibía la aparición de las culebras. Luego, aprendí a pescar con la caña larga y también a preparar mis anzuelos con unas moscas a las que la impericia de mis manos no impedían ser útiles para capturar los hermosos animales de cuerpo restallante.

La gran trucha era, pues, como el fantasma de aquellas truchas no pescadas, tan melancólicamente evocadas en días interminables: era invierno fuera, un sol pálido iluminaba la tierra del patio, los escuálidos arbolitos pelados, la tapia de ladrillo, y yo imaginaba con acongojada memoria el mismo día y la misma hora en mi pueblo, junto al río. Y ahora, entre mi verano también frustrado, aparecía como una señal misteriosa: sin duda nadie, nunca, había visto una trucha semejante.

Cuando quedé dormido, aquella noche, la imaginación de su inmenso lomo oscuro, del preciso golpe de su cola, de su rápido y solemne movimiento, inclinaba mi ánimo al regocijo, y casi disculpaba las tardes de estudio insoslayable y las mañanas de minucioso interrogatorio.

Desde el momento en que la descubrí, nació en mí el propósito de capturarla. Por otra parte, aquellos dos meses en que me había visto obligado a violentar dolorosamente mis verdaderas apetencias, habían conseguido crear en mí una capacidad antes desconocida para mantener mi imaginación bullendo sin por ello perder el hilo de las abstrusas cuestiones académicas. Conservaba así, frente a la incansable evaluación cotidiana de mi prima, el ritmo frenético a que me había visto forzado desde los primeros días y, sin embargo, conquistaba poco a poco, dentro de mí, un espacio para la ensoñación.

En ese contorno introduje ahora mi idea. Con disimulo que nunca fue descubierto ni sospechado, fui escamoteándole a mi tío pedazos de sedal, anzuelos y plumas, y preparé, con aquella paciencia que había aprendido a asumir, las moscas que me parecían más apropiadas, según la puesta de aquellos días.

Dejé mis aparejos bien sujetos a la orilla, en diversos lugares que podía contemplar desde la ventana. Mi prima seguía viniendo a bañarse en el río, al otro lado del recodo, y la trucha bajaba corriente abajo hasta reposar en su lugar habitual.

Por fin, una tarde, cayó en uno de los engaños. La pesca se anunció con enorme chapoteo. Yo había asegurado los anzuelos con sedales muy fuertes, bien sujetos por el otro extremo a cuerdas resistentes. La trucha se había enganchado muy cerca de su lugar de acecho.

Bajé corriendo las escaleras y, sin dudarlo, me metí en el agua, que en aquella zona no me pasaba del muslo. El cuerpo de la trucha se me escurría y temí perderla, hasta que conseguí hundir mis manos en sus agallas. Tenía una fuerza muy superior a la sospechada y consiguió hacerme caer. Yo no sé cuánto tiempo duró nuestra lucha, pero recuerdo que rodamos por el agua largo trecho. Pienso que la excitación intensísima que me dominaba fue lo único que impidió que, medio ahogado en mis revolcones, me viese obligado a soltarla. Al fin conseguí arrastrarme hasta la orilla y, con enorme esfuerzo, empujarla fuera del agua. Y ambos quedamos tumbados sobre el sendero.

Vista a mi lado, parecía todavía más grande. Seguía coleando con furia y abría la boca en grandes boqueadas. A lo largo de su gran cuerpo, los lunares se marcaban como piedras preciosas. Me quedé observándola con emoción maravillada.

De pronto, un descubrimiento me llenó de desazón. Eran sus ojos. Los ojos de la trucha trajeron a mi pensamiento los ojos de mi prima. Me pareció también que éstos, como aquéllos, eran de distinto color, y que en ellos había una expresión similar. Y tuve miedo. La tarde estaba otra vez en esa hora azulada y misteriosa. El edificio del molino se mostraba en su apariencia de gran ser agazapado. Desde los ojos de la trucha boqueante me miraban los ojos de la prima Rosa.

Le arranqué el anzuelo y la empujé hasta el agua. Quedó unos instantes quieta y luego se fue alejando despacio, hasta desaparecer en el centro de la tablada que la tarde ponía cada vez más oscura.

Cuando volví a casa, no era yo el único que había sufrido un accidente: mi prima se había enganchado con una zarza y tenía un desgarrón sanguinolento en el labio superior. Mi tía nos riñó a los dos. Para prevenir la posible pulmonía que me vaticinaba, me hizo tomar una copa de orujo —que, tras quemarme las entrañas, me sumió en una modorra risueña— y curó la herida de mi prima, a quien reprendía por aquella manía suya del baño cotidiano. Sobre la herida de mi prima, el agua oxigenada hervía con una espumilla suave. Ella me miraba fijamente, pero yo desvié los ojos.

Ya no volvió a bañarse en aquel pozo cercano al molino. En cuanto a la trucha gigante, tampoco la vi nunca más.

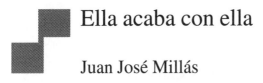

Ella acaba con ella

Juan José Millás

Un espacio fantástico y simbólico

Tendríamos que remitirnos a los laberintos borgeanos o a «Casa tomada», de Julio Cortázar, para encontrar otros casos de protagonismo del espacio tan evidentes como en este relato de Juan José Millás. En efecto, un espacio muy concreto, cargado de significación psicológica y simbólica, se convierte en personaje antagónico de la mujer que aparentemente protagoniza el relato.

Sin embargo, a diferencia de los autores latinoamericanos mencionados, Millás da a ese espacio un sentido psicológico explícito. Ya al principio se nos indica que «ella», a los cincuenta años, decide trasladarse al piso donde había vivido su infancia y su juventud junto a sus padres. Se trata de un «lugar querido y detestado a la vez», en el que quizá podría reconciliarse consigo misma. Los espejos, los objetos y los espacios del piso atesoran vida, la de las personas que los han habitado. Por eso, los conflictos internos de la protagonista, su personalidad escindida, acaban materializándose en un ámbito concreto del piso: «Nació en aquella habitación un reflejo de sí misma»; «Caminaba hacia él, hacia el encuentro consigo misma».

Ella lucha contra la fuerza que misteriosamente la conduce «hacia su oscuro destino», materializado en ese espacio de la casa que simboliza su otro yo. Pero el desenlace acaba imponiéndose de manera fatal, ya que la protagonista no puede dejar de sucumbir ante el poder de su yo más oscuro y profundo. Aquel que infructuosamente ha intentado negar, anular con un débil muro de ladrillos. Lo interior acaba venciendo a lo exterior, lo espiritual a lo material.

Ella tenía 50 años cuando heredó el antiguo piso de sus padres, situado en el casco antiguo de la ciudad y donde había vivido hasta que decidiera independizarse, hacía ya 20 años. Al principio pensó en alquilarlo o en venderlo, pero después empezó a considerar la idea de trasladarse a aquel lugar querido y detestado a la vez y, por idénticas razones, le parecía que aquella decisión podría reconciliarla consigo misma, y con su historia, y de ese modo sería capaz de afrontar la madurez sin grandes desacuerdos, contemplando la vida con naturalidad, sin fe, pero también sin esa vaga sensación de fracaso bajo cuyo peso había vivido desde que abandonara la casa familiar. Coqueteó con la idea durante algún tiempo, pero no tomó ninguna decisión hasta encontrar argumentos de orden práctico bajo los que encubrir la dimensión sentimental de aquella medida.

El piso tenía un gran salón, de donde nacía un estrecho pasillo a lo largo del cual se repartían las habitaciones. Al fondo había un cuarto sin ventanas, concebido como trastero, en donde ella —de joven— se había refugiado con frecuencia para leer o escuchar música. Se trataba de un lugar secreto, aislado, y comunicado con el exterior a través tan sólo de la pequeña puerta que le servía de acceso. Decidió que rehabilitaría aquel lugar para las mismas funciones que cumplió en su juventud, y tiró todo lo que sus padres habían ido almacenando allí en los últimos años. Después colocó en puntos estratégicos dos lámparas que compensaran la ausencia de luz natural, e instaló su escritorio de estudiante y el moderno equipo de música, recién comprado. Un sillón pequeño, pero cómodo, y algunos objetos que resumían su historia completaron la sobria decoración de aquel espacio.

Se dedicó después a limpiar el salón, sustituyendo los antiguos muebles de sus padres por objetos de línea más simple que eliminaran aquella sensación de ahogo. Tuvo problemas con algunos espejos, pues por un lado le gustaban, pero, por otro, le producían una sensación inquietante aquellas superficies azogadas, en las que el tiempo parecía haber ido dejando un depósito que sugería la existencia de una forma de vida en el lado del reflejo. Finalmente decidió venderlos.

Clausuró después tres habitaciones —la de sus padres entre ellas—, en las que era muy improbable que necesitara entrar, y arregló la cocina, en donde parecía persistir también alguna tenue forma de vida que quizá se había creado a lo largo de los años con los gestos y los pasos y la mirada de su madre sobre aquellos dominios alicatados hasta el techo.

Cuando terminó las reformas que había proyectado, se sentó en el salón y se sintió vacía y ajena a todo aquello. Había violado un espacio que ya no era suyo para sentirlo propio, y ahora tenía la impresión de que nunca llegaría a acostumbrarse del todo a aquella casa cuyas puertas parecían abrirse a otra persona y cuyas paredes —especialmente las del cuarto de baño y las de la cocina— exudaban una ligera humedad que sugería algún tipo de actividad orgánica en el interior de los muros.

En cualquier caso, decidió combatir la aversión con disciplina y, así, procuraba cocinar todos los días para que la casa se fuera impregnando de sus propios olores. Salía poco, pues no ignoraba que aquellos espacios rechazarían su amistad si no se sentían habitados de forma permanente.

Una vez que hubo dominado el salón y la cocina, comenzó a recorrer con método el pasillo, que era una de las zonas más irreductibles de la vivienda. Y el pasillo la condujo al cuarto sin ventanas que había habilitado para obtener mayores dosis de soledad o refugio que en el resto de la casa. Se retiraba a esta habitación a eso de media tarde, cuando la luz dudaba entre persistir o acabarse, y ponía su música preferida al tiempo que leía un libro o se perdía en ensoñaciones que la trasladaban sin orden ni diseño a una u otra época de su vida. Aquel cuarto, al que se accedía a través de una pequeña puerta situada al fondo del pasillo, acabó por convertirse en una burbuja en cuyo interior podía viajar a salvo de las asechanzas de la vida.

Así, pasaron algunos meses y la obsesión por el cuarto sin ventanas continuó creciendo a expensas de la zona más débil de ella, al tiempo que disminuía su interés por lo exterior. Y si bien es cierto que su carácter práctico y su educación la libraron de caer en el abandono de todo cuanto no guardara relación con aquel cuarto, también es verdad que el agujero aquel reclamaba su presencia de un modo cada vez más apremiante. Le bastaba colocarse en la cabecera del pasillo para sentir que una fuerza invisible, pero cierta, tiraba de ella como un centro magnético conduciéndola dócilmente por el corredor hacia su oscuro destino.

Se sentaba en el sillón y oía músicas antiguas y leía antiguos libros o miraba fotografías que iban poco a poco levantando su propia imagen, la imagen de una mujer dura, aunque frágil, cuya vida podría haber sido distinta a lo que fue. Y así, entre ensueño y ensueño —sabiamente guiada por la música y por los objetos de otro tiempo— nació en aquella habitación un reflejo de sí misma que al principio parecía amistoso, pero que al poco de formado comenzó a mostrar un lado hostil, independiente y acusador.

Intentó clausurar aquel espacio, vivir como si no existiera, pero apenas entraba en el pasillo sentía su poder de atracción y caminaba hacia él, hacia el encuentro consigo misma, como guiada por unos intereses ajenos, como si sus piernas, su mirada, su cuerpo, fueran manejados desde un centro de operaciones exterior a ella. Cuando aceptó que se trataba de una lucha desigual, se dejó vencer, pero enseguida su carácter práctico le advirtió de que aquello conducía a la locura. Se vio a sí misma envejeciendo en aquel cuarto, manteniendo conversaciones interminables con lo que no pudo ser, haciéndose cargo de una vida paralela a la suya que vampirizaría todas sus energías, y el terror a esa imagen consiguió de nuevo levantarla del sillón y hacerla acudir a las zonas más templadas y luminosas de la vivienda.

Poco a poco, gracias de nuevo a sus antiguos reflejos disciplinarios, fue espaciando las visitas a aquel agujero, que era como el núcleo de una conciencia cuyos dictados parecían concernirla, y perdió el antiguo hábito de acudir a él. Sin embargo, la otra —llena de ausencia— no paraba de gritar desde aquel cuarto sin ventanas, de manera que sus gritos traspasaban la pequeña puerta y galopaban —ciegos— por el pasillo en dirección al salón. Pensó que aquello era otra forma de locura y decidió entonces clausurar con ladrillos el hueco de la puerta para dejar emparedado allí todo lo antiguo junto al reflejo de ella, junto a la otra, que quería crecer a cualquier precio ignorando que sólo se crece hacia la muerte.

Consiguió la cantidad de ladrillos y cemento necesarios para la operación y se puso a trabajar un domingo por la tarde. En apenas tres horas consiguió levantar un sólido muro que pareció borrar la existencia del cuarto. Todavía con la paleta en la mano, un poco sudorosa, observó los contornos de su obra y repasó las pequeñas imperfecciones de los bordes. Después, agotada por el esfuerzo, se sentó y se quedó dormida.

Se despertó al poco, como sobresaltada por algo que estaba a punto de suceder, y el terror entró como una garra en su estómago porque advirtió que se encontraba en el lado del muro que se había propuesto clausurar. Para defenderse de aquella visión pensó que quizá seguía durmiendo o que tal vez ella era la otra, pero no le dio tiempo a averiguarlo porque un dolor desconocido por su intensidad le mordió el pecho, a la altura del corazón, y cayó muerta sobre el suelo, junto a aquel muro que debería haber dividido su existencia y que ahora separaba dos espacios asimétricos y sin significado.

En fin.

Luvina

Juan Rulfo

Un espacio mítico

El conjunto de la obra de Juan Rulfo es minimalista. Breve, aparentemente sencilla, pero al mismo tiempo de una gran profundidad. En este cuento, a través de un diálogo coloquial, Rulfo va configurando un espacio mítico, Luvina, adonde quiere ir un viajero. Su interlocutor ya ha estado allí; es un idealista que trató de redimir el lugar y fracasó. Poco a poco, sin grandes retóricas, va describiéndolo: el cielo nunca es azul, llueve poco, el tiempo es muy largo, allí sólo viven los viejos y los que todavía no han nacido... Es, en fin, «el lugar donde anida la tristeza», donde la luna siempre es «la imagen del desconsuelo».

No todo queda, sin embargo, situado en un ámbito mítico. Aparece también una dimensión claramente política. Luvina simboliza también el mundo indígena, situado al margen de la turbulenta historia del México de principios de siglo, cuando la Revolución parecía que iba a transformar radicalmente el país. Los habitantes de Luvina, muertos de hambre, desconfían de las grandes palabras del Gobierno, de la Patria, que sólo se acuerda de ellos para reprimir alguno de sus esporádicos e inconscientes actos de rebeldía.

De los cerros altos del sur, el de Luvina es el más alto y el más pedregoso. Está plagado de esa piedra gris con la que hacen la cal, pero en Luvina no hacen cal con ella ni le sacan ningún provecho. Allí la llaman piedra cruda, y la loma que sube hacia Luvina la nombran cuesta de la Piedra Cruda. El aire y el sol se han encargado de desmenuzarla, de modo que la tierra de por allí es blanca y brillante como si estuviera rociada siempre por el rocío del amanecer; aunque esto es un puro decir, porque en Luvina los días son tan fríos como las noches y el rocío se cuaja en el cielo antes que llegue a caer sobre la tierra.

...Y la tierra es empinada. Se desgaja por todos lados en barrancas hondas, de un fondo que se pierde de tan lejano. Dicen los de Luvina que de aquellas barrancas suben los sueños; pero yo lo único que vi subir fue el viento, en tremolina, como si allá abajo lo tuvieran encañonado en tubos de carrizo. Un viento que no deja crecer ni a las dulcamaras: esas plantitas tristes que apenas si pueden vivir un poco untadas a la tierra, agarradas con todas sus manos al despeñadero de los montes. Sólo a veces, allí donde hay un poco de sombra, escondido entre las piedras, florece el chicalote con sus amapolas blancas. Pero el chicalote pronto se marchita. Entonces uno lo oye rasguñando el aire con sus ramas espinosas, haciendo un ruido como el de un cuchillo sobre una piedra de afilar.

—Ya mirará usted ese viento que sopla sobre Luvina. Es pardo. Dicen que porque arrastra arena de volcán; pero lo cierto es que es un aire negro. Ya lo verá usted. Se planta en Luvina prendiéndose de las cosas como si las mordiera. Y sobran días en que se lleva el techo de las casas como si se llevara un sombrero de petate, dejando los paredones lisos, descobijados. Luego rasca como si tuviera uñas: uno lo oye a mañana y tarde, hora tras hora, sin descanso, raspando las paredes, arrancando tecatas de tierra, escarbando con su pala picuda por debajo de las puertas, hasta sentirlo bullir dentro de uno como si se pusiera a remover los goznes de nuestros mismos huesos. Ya lo verá usted.

El hombre aquel que hablaba se quedó callado un rato, mirando hacia afuera.

Hasta ellos llegaba el sonido del río pasando sus crecidas aguas por las ramas de los camichines; el rumor del aire moviendo suavemente las hojas de los almendros, y los gritos de los niños jugando en el pequeño espacio iluminado por la luz que salía de la tienda.

Los comejenes entraban y rebotaban contra la lámpara de petróleo, cayendo al suelo con las alas chamuscadas. Y afuera seguía avanzando la noche.

—¡Oye, Camilo, mándanos otras dos cervezas más! —volvió a decir el hombre. Después añadió—: Otra cosa, señor. Nunca verá usted un cielo azul en Luvina. Allí todo el horizonte está desteñido; nublado siempre por una mancha caliginosa que no se borra nunca. Todo el lomerío pelón, sin un árbol, sin una cosa

verde para descansar los ojos; todo envuelto en el ca-
lín ceniciento. Usted verá eso: aquellos cerros apaga-
dos como si estuvieran muertos y a Luvina en el
más alto, coronándolo con su blanco caserío como si
fuera una corona de muerto...

Los gritos de los niños se acercaron hasta me-
terse dentro de la tienda. Eso hizo que el hombre se
levantara, fuera hacia la puerta y les dijera: «¡Vá-
yanse más lejos! ¡No interrumpan! Sigan jugando,
pero sin armar alboroto.»

Luego, dirigiéndose otra vez a la mesa, se
sentó y dijo:

—Pues sí, como le estaba diciendo. Allá llueve poco. A mediados de año llegan unas cuantas tormentas que azotan la tierra y la desgarran, dejando
nada más el pedregal flotando encima del tepetate.
Es bueno ver entonces cómo se arrastran las nubes,
cómo andan de un cerro a otro dando tumbos como
si fueran vejigas infladas; rebotando y pegando de
truenos igual que si se quebraran en el filo de las
barrancas. Pero después de diez o doce días se van y
no regresan sino al año siguiente, y a veces se da el
caso de que no regresen en varios años.

«...Sí, llueve poco. Tan poco o casi nada, tanto
que la tierra, además de estar reseca y achicada como
cuero viejo, se ha llenado de rajaduras y de esa cosa
que allí llaman "pasojos de agua", que no son sino te-
rrenos endurecidos como piedras filosas, que se clavan
en los pies de uno al caminar, como si allí hasta a la tierra le hubieran crecido espinas. Como si así fuera.

Bebió la cerveza hasta dejar sólo burbujas de
espuma en la botella y siguió diciendo:

—Por cualquier lado que se le mire, Luvina es
un lugar muy triste. Usted que va para allá se dará

cuenta. Yo diría que es el lugar donde anida la tristeza. Donde no se conoce la sonrisa, como si a toda la gente le hubieran entablado la cara. Y usted, si quiere, puede ver esa tristeza a la hora que quiera. El aire que allí sopla la revuelve, pero no se la lleva nunca. Está allí como si allí hubiera nacido. Y hasta se puede probar y sentir, porque está siempre encima de uno, apretada contra de uno, y porque es oprimente como una gran cataplasma sobre la viva carne del corazón.

»...Dicen los de allí que cuando llena la luna, ven de bulto la figura del viento recorriendo las calles de Luvina, llevando a rastras una cobija negra; pero yo siempre lo que llegué a ver, cuando había luna en Luvina, fue la imagen del desconsuelo... siempre.

»Pero tómese su cerveza. Veo que no le ha dado ni siquiera una probadita. Tómesela. O tal vez no le guste así tibia como está. Y es que aquí no hay de otra. Yo sé que así sabe mal; que agarra un sabor como a meados de burro. Aquí uno se acostumbra. A fe que allá ni siquiera esto se consigue. Cuando vaya a Luvina la extrañará. Allí no podrá probar sino un mezcal que ellos hacen con una yerba llamada hojasé, y que a los primeros tragos estará usted dando de volteretas como si lo chacamotearan. Mejor tómese su cerveza. Yo sé lo que le digo.

Allá afuera seguía oyéndose el batallar del río. El rumor del aire. Los niños jugando. Parecía ser aún temprano, en la noche.

El hombre se había ido a asomar una vez más a la puerta y había vuelto. Ahora venía diciendo:

—Resulta fácil ver las cosas desde aquí, meramente traídas por el recuerdo, donde no tienen parecido ninguno. Pero a mí no me cuesta ningún trabajo seguir hablándole de lo que sé, tratándose de Luvina.

Allá viví. Allá dejé la vida... Fui a ese lugar con mis ilusiones cabales y volví viejo y acabado. Y ahora usted va para allá... Está bien. Me parece recordar el principio. Me pongo en su lugar y pienso... Mire usted, cuando yo llegué por primera vez a Luvina... ¿Pero me permite antes que me tome su cerveza? Veo que usted no le hace caso. Y a mí me sirve de mucho. Me alivia. Siento como si me enjuagaran la cabeza con aceite alcanforado... Bueno, le contaba que cuando llegué por primera vez a Luvina, el arriero que nos llevó no quiso dejar ni siquiera que descansaran las bestias. En cuanto nos puso en el suelo, se dio media vuelta:

»—Yo me vuelvo —nos dijo.

»—Espera, ¿no vas a dejar sestear tus animales? Están muy aporreados.

»—Aquí se fregarían más —nos dijo—. Mejor me vuelvo.

»Y se fue, dejándose caer por la cuesta de la Piedra Cruda, espoleando sus caballos como si se alejara de algún lugar endemoniado.

»Nosotros, mi mujer y mis tres hijos, nos quedamos allí, parados en mitad de la plaza, con todos nuestros ajuares en los brazos. En medio de aquel lugar donde sólo se oía el viento...

»Una plaza sola, sin una sola yerba para detener el aire. Allí nos quedamos.

»Entonces yo le pregunté a mi mujer:

»—¿En qué país estamos, Agripina?

»Y ella se alzó de hombros.

»—Bueno, si no te importa, ve a buscar dónde comer y dónde pasar la noche. Aquí te aguardamos —le dije.

»Ella agarró al más pequeño de sus hijos y se fue. Pero no regresó.

»Al atardecer, cuando el sol alumbraba sólo las puntas de los cerros, fuimos a buscarla. Anduvimos por los callejones de Luvina, hasta que la encontramos metida en la iglesia: sentada mero en medio de aquella iglesia solitaria, con el niño dormido entre sus piernas.

»—¿Qué haces aquí, Agripina?

»—Entré a rezar —nos dijo.

»—¿Para qué? —le pregunté yo.

»Y ella se alzó de hombros.

»Allí no había a quién rezarle. Era un jacalón vacío, sin puertas, nada más con unos socavones abiertos y un techo resquebrajado por donde se colaba el aire como por un cedazo.

»—¿Dónde está la fonda?

»—No hay ninguna fonda.

»—¿Y el mesón?

»—No hay ningún mesón.

»—¿Viste a alguien? ¿Vive alguien aquí? —le pregunté.

»—Sí, allí enfrente... Unas mujeres... Las sigo viendo. Mira, allí tras las rendijas de esa puerta veo brillar los ojos que nos miran... Han estado asomándose para acá... Míralas. Veo las bolas brillantes de sus ojos... Pero no tienen qué darnos de comer. Me dijeron sin sacar la cabeza que en este pueblo no había de comer... Entonces, entré aquí a rezar, a pedirle a Dios por nosotros.

»—¿Por qué no regresaste allí? Te estuvimos esperando.

»—Entré aquí a rezar. No he terminado todavía.

»—¿Qué país es éste, Agripina?

»Y ella volvió a alzarse de hombros.

»Aquella noche nos acomodamos para dormir en un rincón de la iglesia, detrás del altar desmantelado. Hasta allí llegaba el viento, aunque un poco menos fuerte. Lo estuvimos oyendo pasar por encima de nosotros, con sus largos aullidos; lo estuvimos oyendo entrar y salir por los huecos socavones de las puertas; golpeando con sus manos de aire las cruces del viacrucis: unas cruces grandes y duras hechas con palo de mezquite que colgaban de las paredes a todo lo largo de la iglesia, amarradas con alambres que rechinaban a cada sacudida del viento como si fuera un rechinar de dientes.

»Los niños lloraban porque no los dejaba dormir el miedo. Y mi mujer, tratando de retenerlos a todos entre sus brazos. Abrazando su manojo de hijos. Y yo allí, sin saber qué hacer.

»Poco antes de amanecer se calmó el viento. Después regresó. Pero hubo un momento en esa madrugada en que todo se quedó tranquilo, como si el cielo se hubiera juntado con la tierra, aplastando los ruidos con su peso... Se oía la respiración de los niños ya descansada. Oía el resuello de mi mujer ahí a mi lado:

»—¿Qué es? —me dijo.

»—¿Qué es qué? —le pregunté.

»—Eso, el ruido ese.

»—Es el silencio. Duérmete. Descansa, aunque sea un poquito, que ya va a amanecer.

»Pero al rato oí yo también. Era como un aletear de murciélagos en la oscuridad, muy cerca de nosotros. De murciélagos de grandes alas que rozaban el suelo. Me levanté y se oyó el aletear más fuerte, como si la parvada de murciélagos se hubiera espantado y volara hacia los agujeros de las puertas. Entonces caminé de puntitas hacia allá, sintiendo delante de mí aquel murmullo sordo. Me detuve en la puerta y las vi. Vi a todas las mujeres de Luvina con su cántaro al hombro, con el rebozo colgado de su cabeza y sus figuras negras sobre el negro fondo de la noche.

»—¿Qué quieren? —les pregunté—. ¿Qué buscan a estas horas?

»Una de ellas respondió:

»—Vamos por agua.

»Las vi paradas frente a mí, mirándome. Luego, como si fueran sombras, echaron a caminar calle abajo con sus negros cántaros.

»No, no se me olvidará jamás esa primera noche que pasé en Luvina.

»...¿No cree usted que esto se merece otro trago? Aunque sea nomás para que se me quite el mal sabor del recuerdo.

—Me parece que usted me preguntó cuántos años estuve en Luvina, ¿verdad...? La verdad es que no lo sé. Perdí la noción del tiempo desde que las fiebres me lo enrevesaron; pero debió de haber sido una eternidad... Y es que allá el tiempo es muy largo. Nadie lleva la cuenta de las horas ni a nadie le preocupa cómo van amontonándose los años. Los días comienzan y se acaban. Luego viene la noche. Solamente el día y la noche hasta el día de la muerte, que para ellos es una esperanza.

»Usted ha de pensar que le estoy dando vueltas a una misma idea. Y así es, sí señor... Estar sentado en el umbral de la puerta, mirando la salida y la puesta del sol, subiendo y bajando la cabeza, hasta que acaban aflojándose los resortes y entonces todo se queda quieto, sin tiempo, como si se viviera siempre en la eternidad. Eso hacen allí los viejos.

»Porque en Luvina sólo viven los puros viejos y los que todavía no han nacido, como quien dice... Y mujeres sin fuerzas, casi trabadas de tan flacas. Los niños que han nacido allí se han ido... Apenas les clarea el alba y ya son hombres. Como quien dice, pegan el brinco del pecho de la madre al azadón y desaparecen de Luvina. Así es allí la cosa.

»Sólo quedan los puros viejos y las mujeres solas, o con un marido que anda donde sólo Dios sabe dónde... Vienen de vez en cuando como las tormentas de que le hablaba; se oye un murmullo en todo el pueblo cuando regresan y uno como gruñido cuando se van... Dejan el costal del bastimento para los viejos y plantan orto hijo en el vientre de sus mujeres, y ya nadie vuelve a saber de ellos sino al año siguiente, y a veces nunca... Es la costumbre. Allí le dicen la ley, pero es lo mismo. Los hijos se pasan la vida trabajando para los padres como ellos trabajaron para los suyos y como quién sabe cuántos atrás de ellos cumplieron con su ley...

»Mientras tanto, los viejos aguardan por ellos y por el día de la muerte, sentados en sus puertas, con los brazos caídos, movidos sólo por esa gracia que es la gratitud del hijo... Solos, en aquella soledad de Luvina.

»Un día traté de convencerlos de que se fueran a otro lugar, donde la tierra fuera buena. "¡Vámonos de aquí! —les dije—. No faltará modo de acomodarnos en alguna parte. El Gobierno nos ayudará."

»Ellos me oyeron, sin parpadear, mirándome desde el fondo de sus ojos de los que sólo asomaba una lucecita allá muy adentro.

»—¿Dices que el Gobierno nos ayudará, profesor? ¿Tú conoces al Gobierno?

»Les dije que sí.

»—También nosotros lo conocemos. Da esa casualidad. De lo que no sabemos nada es de la madre del Gobierno.

»Yo les dije que era la Patria. Ellos movieron la cabeza diciendo que no. Y se rieron. Fue la única vez que he visto reír a la gente de Luvina. Pelaron sus dientes molenques y me dijeron que no, que el Gobierno no tenía madre.

»Y tienen razón, ¿sabe usted? El señor ese sólo se acuerda de ellos cuando alguno de sus muchachos ha hecho alguna fechoría acá abajo. Entonces manda por él hasta Luvina y se lo matan. De hay en más no saben si existen.

»—Tú nos quieres decir que dejemos Luvina porque, según tú, ya estuvo bueno de aguantar hambres sin necesidad —me dijeron—. Pero si nosotros nos vamos, ¿quién se llevará a nuestros muertos? Ellos viven aquí y no podemos dejarlos solos.

»Y allá siguen. Usted los verá ahora que vaya. Mascando bagazos de mezquite seco y tragándose su propia saliva para engañar el hambre. Los mirará pasar como sombras, repegados al muro de las casas, casi arrastrados por el viento.

»—¿No oyen ese viento? —les acabé por decir—. Él acabará con ustedes.

»—Dura lo que debe de durar. Es el mandato de Dios —me contestaron—. Malo cuando deja de hacer aire. Cuando eso sucede, el sol se arrima mucho a Luvina y nos chupa la sangre y la poca agua que tenemos en el pellejo. El aire hace que el sol se esté allá arriba. Así es mejor.

»Ya no les volví a decir nada. Me salí de Luvina y no he vuelto ni pienso regresar.

»...Pero mire las maromas que da el mundo. Usted va para allá ahora, dentro de pocas horas. Tal vez ya se cumplieron quince años que me dijeron a mí lo mismo: "Usted va a ir a San Juan Luvina."

»En esa época tenía yo mis fuerzas. Estaba cargado de ideas... Usted sabe que a todos nosotros nos infunden ideas. Y uno va con esa plasta encima para plasmarla en todas partes. Pero en Luvina no cuajó eso. Hice el experimento y se deshizo...

»San Juan Luvina. Me sonaba a nombre de cielo aquel nombre. Pero aquello es el purgatorio. Un lugar moribundo donde se han muerto hasta los perros y ya no hay ni quien le ladre al silencio; pues en cuanto uno se acostumbra al vendaval que allí sopla, no se oye sino el silencio que hay en todas las soledades. Y eso acaba con uno. Míreme a mí. Conmigo acabó. Usted que va para allá comprenderá pronto lo que le digo...

»¿Qué opina usted si le pedimos a este señor que nos matice unos mezcalitos? Con la cerveza se levanta uno a cada rato y eso interrumpe mucho la plática. ¡Oye, Camilo, mándanos ahora unos mezcales!

»Pues sí, como le estaba yo diciendo...

Pero no dijo nada. Se quedó mirando un punto fijo sobre la mesa donde los comejenes ya sin sus alas rondaban como gusanitos desnudos.

Afuera seguía oyéndose cómo avanzaba la noche. El chapoteo del río contra los troncos de los camichines. El griterío ya muy lejano de los niños. Por el pequeño cielo de la puerta se asomaban las estrellas.

El hombre que miraba a los comejenes se recostó sobre la mesa y se quedó dormido.

Referencias bibliográficas de los autores

Juan Benet (Madrid, 1927-1993). Ingeniero de profesión, durante años trabajó en zonas rurales de León y Asturias, que inspirarían su mítica *Región,* escenario de varias de sus novelas. Benet apenas concede importancia al argumento y, en cambio, cuida mucho los aspectos formales (frases largas, vocabulario técnico, descripciones minuciosas ...). *Volverás a Región* (1968), experimental y compleja, es su novela más representativa. Sus relatos breves se agrupan en *Cinco narraciones y dos fábulas* (1972) y *Trece fábulas y media* (1981).

Jorge Luis Borges (Buenos Aires, 1899-Ginebra, 1986). Es considerado uno de los grandes cuentistas de la literatura universal, además de destacado poeta y ensayista. Estudió en Ginebra y viajó por Europa. Residió en España, donde se unió a los movimientos vanguardistas, que después introdujo en Argentina. Su biografía posterior es irrelevante: fue director de la Biblioteca Nacional, padeció una ceguera progresiva... Su verdadera vida es la de sus extensas y cosmopolitas lecturas y la de sus creaciones literarias, tan breves como intensas. Sus cuentos, llenos de referencias eruditas de variada procedencia, giran en torno a temas trascendentes: el tiempo, la identidad, el carácter cíclico de la historia... Están agrupados en diversos libros, entre los que destaca *Historia universal de la infamia* (1935), que puede considerarse como el iniciador del realismo fantástico o mágico. A ésta seguirían otras importantes recopilaciones: *Ficciones* (1944), *El Aleph* (1949), *El informe de Brodie* (1970) y *El libro de arena* (1975).

Julio Cortázar (Bruselas, 1914-París, 1984). Hijo de padres argentinos, pasó su infancia en Bélgica. En Argentina trabajó de maestro, pero volvió a marcharse en 1951, instalándose definitivamente en París. Aunque ha cultivado diversos géneros literarios, destaca como autor de cuentos. Su primer libro de relatos es *Bestiario* (1951), un clásico del realismo fantástico. La misma orientación tienen *Final de juego* (1956), *Las armas secretas* (1959) y *Todos los fuegos el fuego* (1966). Su novela *Rayuela* (1963) causó gran admiración en su momento, por la audacia de sus innovaciones formales, como la de permitir diversas interpretaciones según el orden de lectura de los capítulos.

Cristina Fernández Cubas (Arenys de Mar, Barcelona, 1945). Estudió Derecho y Periodismo. Como periodista ha trabajado en América Latina y en Egipto. En 1980, su libro de relatos *Mi hermana Elba* fue la primera de una serie de obras como *Los altillos de Brumal* o *El ángulo del horror*, que la convirtieron en una de las más importantes autoras de relatos breves. Ha escrito también dos novelas y una obra de teatro. Su obra ha sido traducida a varios idiomas.

Carlos Fuentes (Ciudad de México, 1928). Su infancia transcurrió en varios países de América, ya que su padre era diplomático. Trabajó en organismos internacionales y como profesor de Literatura en varias universidades. Su primera novela, *La región más transparente* (1958), traza un vasto panorama de la capital mexicana. Alcanzó prestigio internacional con una novela de gran complejidad formal, *La muerte de Artemio Cruz* (1962), balance crítico de la Revolución mexicana a través de la vida de un personaje que va abandonando sus ideales políticos. En sus cuentos y novelas cortas —entre las que destaca *Aura* (1962)— cultiva el realismo fantástico.

Gabriel García Márquez (Aracata, Colombia, 1928). La concesión del premio Nobel en 1982 no hizo más que revalidar el destacadísimo lugar que este novelista ocupa en la literatura de habla hispana. Antes de dedicarse plenamente a la narrativa, trabajó largos años como periodista en su país y en Europa, residiendo varios años en Barcelona. Después de pasar muchas penalidades y de haber publicado varias obras sin demasiado éxito, alcanzó el triunfo con su obra maestra *Cien años de soledad* (1967), que se convirtió en emblema del «boom» de la novela latinoamericana y del realismo mágico. Después seguirían otras novelas importantes, como *El otoño del patriarca* (1975), *Crónica de una muerte anunciada* (1981) y *El amor en los tiempos del cólera* (1985). Sus cuentos están recogidos en varios libros: *Ojos de perro azul* (publicado en 1974, pero escrito en 1947-1955), *La increíble y triste historia de la cándida Eréndira y de su abuela desalmada* (1977) y *Doce cuentos peregrinos* (1992).

Javier Marías (Madrid, 1951). Es hijo del filósofo Julián Marías. Ha sido profesor en varias universidades inglesas y norteamericanas. Es uno de los escritores de su generación con mayor proyección fuera de España. Ha obtenido numerosos premios internacionales, y su obra está traducida a numerosos idiomas. Entre sus novelas destacan *El hombre sentimental* (1986), *Corazón tan blanco* (1993) y *Mañana en la batalla piensa en mí* (1995). Ha publicado dos libros de relatos cortos: *Mientras ellas duermen* (1990) y *Cuando fui mortal* (1996).

Ana María Matute (Barcelona, 1926). Dentro de la generación de novelistas de los años cincuenta, impulsores del realismo social, ocupa un lugar específico, definido por el toque poético y mítico que imprime a sus relatos. Es la única mujer que pertenece a la Real Academia de la Lengua. Entre sus novelas destacan: *Los Abel* (1948), *Pequeño teatro* (1954) y *Primera memoria* (1960). Su última novela, *Olvidado rey Gudú* (1996), se sitúa en un espacio narrativo plenamente mítico y fantástico. Sus cuentos, en buena parte protagonizados por niños, se agrupan en varios libros, como *Los niños tontos* (1956), *Historias de la Artámila* o *Caballito loco* (1962).

José María Merino (A Coruña, 1941). Es licenciado en Derecho. Antes de dedicarse solamente a la literatura trabajó bastantes años en el Ministerio de Educación y en el de Cultura, y colaboró con Unesco en varios países hispanoamericanos. Gran conocedor del relato breve, ha publicado las antologías *Los mejores relatos españoles del siglo xx* (Alfaguara, 1998) y *Cien años de cuentos* (Alfaguara, 1999). También

Alfaguara Serie Roja tiene publicada su trilogía de aventuras en la conquista de América (*El oro de los sueños, La tierra del tiempo perdido, Las lágrimas del sol*). *La orilla oscura* (1985) es una de sus novelas más destacadas. En sus *Cuentos del reino secreto* (1982) lo real y cotidiano se mezcla con lo mítico y fabuloso.

Juan José Millás (Valencia, 1946). Colabora habitualmente en periódicos y revistas. De su producción novelística destaca *Papel mojado* (1983), de tema policial; *El desorden de tu nombre* (1988), y *La soledad era esto* (Premio Nadal, 1990). Sus relatos breves, en los que las situaciones cotidianas se transmutan en ambiguas alegorías, han sido recogidos en *Primavera de luto y otros cuentos* (1989).

Juan Rulfo (Sayula, Jalisco, 1918-Ciudad de México, 1986). Perteneciente a una familia arruinada durante la Revolución, pasó su infancia y su juventud en provincias, trabajando en empleos administrativos. Su gran prestigio literario se basa tan sólo en dos libros: una recopilación de cuentos, *El llano en llamas* (1953), y una novela, *Pedro Páramo* (1955), en la que los personajes, muertos, entrecruzan sus voces y van reconstruyendo la vida de un pueblo abandonado.

Índice

Antología

Los mejores relatos latinoamericanos

García Márquez
Bioy Casares
Carpentier
Cortázar
Borges
Rulfo

ALFAGUARA
SERIE ROJA

Antología

Los mejores relatos de los Siglos de Oro

Selección, prólogo y notas de Aurelio González

Miguel de Cervantes
Lope de Vega
Francisco de Quevedo
María de Zayas
Baltasar Gracián
Sor Juana Inés de la Cruz

ALFAGUARA
SERIE ROJA

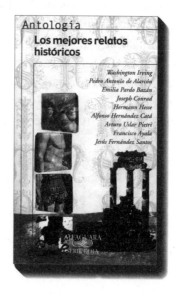

Antología

Los mejores relatos históricos

Washington Irving
Pedro Antonio de Alarcón
Emilia Pardo Bazán
Joseph Conrad
Hermann Hesse
Alfonso Hernández Catá
Arturo Uslar Pietri
Francisco Ayala
Jesús Fernández Santos

ALFAGUARA
SERIE ROJA

ALFAGUARA

SERIE ROJA

~ C O L E C C I Ó N   A N T O L O G Í A S ~

Antología
Los mejores relatos de terror

E. Allan Poe
T. Gautier
A. Bierce
W.W. Jacobs
H.G. Wells
A. Machen
H. Quiroga
H.P. Lovecraft

ALFAGUARA
SERIE ROJA

Antología
Los mejores relatos de terror llevados al cine
Selección, prólogo y notas de Juan José Plans

Robert L. Stevenson
Edgar Allan Poe
Alexéi Tolstoi
Daphne du Maurier
Ray Bradbury
George Langelaan

ALFAGUARA
SERIE ROJA

Antología
Los mejores relatos españoles del siglo XX
Selección, prólogo y notas de José María Merino

Miguel de Unamuno
Ramón Mª del Valle-Inclán
Pío Baroja
Azorín
Wenceslao Fernández Flórez
Rosa Chacel
Francisco Ayala
Max Aub
Camilo José Cela
Miguel Delibes
Carmen Laforet
Ignacio Aldecoa
Ana María Matute
Jesús Fernández Santos
Medardo Fraile
Carmen Martín Gaite
Juan Benet

ALFAGUARA
SERIE ROJA

ALFAGUARA
SERIE ROJA

ALFAGUARA
SERIE ROJA

■Este libro se terminó de impri-
mir en los talleres gráficos de
Unigraf, s. l. Móstoles (Madrid), en
el mes de agosto de 2003.